HARTMUT WILKE

las tortugas

ÍNDICE

1 Conozca a su tortuga

2 Cómo les gusta vivir a las tortugas

Bienvenida a casa

3

La alimentación adecuada para la tortuga

4

5 Sana y bien cuidada

6 Actividad y bienestar

La reproducción de las tortugas

7

¿Qué hacer cuando surgen problemas?

8

Apéndice

1 Conozca a su tortuga

La vida de una tortuga está definida por factores tales como tomar el sol, ir en busca de alimento y aplicar sorprendentes técnicas de supervivencia para protegerse de los predadores, de la sequía y del frío.

Una historia que empezó hace 230 millones de años

Actualmente existen unas 300 especies de tortugas. El hombre las ha despreciado y las ha adorado, ha admirado sus misteriosas aptitudes o se ha limitado a comérselas. En las siguientes páginas podrá leer cómo viven realmente estos animales en la naturaleza.

¿SE PUEDE HACER UNA IDEA, de lo que son 170 millones de años? En esa época empezaban a aparecer los primeros dinosaurios sobre la faz de la tierra. Pero las tortugas ya habían aparecido 60 millones de años antes. Fueron testigos de la aparición de los dinosaurios, convivieron con ellos hasta su desaparición, ¡y han sobrevivido hasta hoy! Eso significa que llevan ya unos 230 años poblando nuestro planeta. Tanto en Alemania como en Tailandia se han encontrado esqueletos fosilizados de tortugas del genero *Proganochelys* de aproximadamente 1m de longitud. Las tortugas han sido capaces de adaptarse a los cambios ambientales que se han sucedido hasta llegar a nuestros días. Pero ahora, en un par de décadas hemos llevado al borde de la extinción a poblaciones que gozaban de una espléndida salud hace apenas 50 años. Por ello, uno de los objetivos de este libro es enseñar a cuidar bien a las tortugas y fomentar la protección de las especies.

Las tortugas en el arte, la mitología y la medicina

El hombre se ha sentido fascinado por las tortugas desde siempre. Le han inspirado las más diversas representaciones artísticas, como podemos comprobar en antiguos grabados en piedra y marfil. Las creencias populares les atribuyen facultades humanas tales como la resistencia, la constancia y la sabiduría: también la inmortalidad, la fecundidad y la potencia sexual. Se empleaban, y se siguen empleando, partes del animal (o el animal entero) para curar o aliviar todo tipo de dolencias.

Por regla general esto apenas ha dañado las poblaciones de tortugas, ya que en muchos lugares no eran aceptadas como alimento porque se las consideraba animales sagrados. Y en los lugares en que se las empleaba con finalidades medicinales, también se ha-

¡Cerrado! Las tortugas de caja tienen el plastrón articulado y pueden cerrar por completo las aberturas del caparazón.

cía dentro de los límites de lo ecológicamente tolerable. Lo que realmente ha puesto en peligro la supervivencia de muchas especies es su consumo por parte del hombre, sea como especialidad culinaria o por necesidad en regiones expuestas a épocas de escasez y hambrunas, así como su captura abusiva para satisfacer el mercado de animales domésticos. Y a esto hay que añadir la progresiva destrucción de sus hábitats naturales por la sequía, la deforestación y la urbanización.

Cosas de tortugas

A lo largo de su evolución, las tortugas han conquistado tanto el medio terrestre como el acuático, diversificándose en un gran número de especies y subespecies. Y este proceso aún no ha finalizado. La mayoría de las especies viven en lugares en los que no hay falta de sol, es decir, en las regiones tropicales y subtropicales.

La estructura clásica de una tortuga se basa en su caparazón y en unas extremidades robustas y acorazadas.

Algunas «aventureras» lograron adaptarse al clima cambiante de América del Norte, Europa o Australia, observando unos períodos de reposo invernal y/o estival para poder tolerar unas condiciones de calor, frío o sequía que de lo contrario les resultarían letales. América Central y del Norte es la región del mundo con una mayor diversidad de tortugas, encontrándose un gran número de especies acuáticas y palustres.

Un poco de sistemática

En las tortugas diferenciamos entre especies marinas, acuáticas y terrestres; en este libro veremos unas cuantas especies de los dos últimos grupos.

Las tortugas marinas pasan la mayor parte de su vida en los mares y océanos y solamente salen a tierra para desovar. El caparazón de la tortuga laúd (*Dermatochelys coriacea*) alcanza una longitud de 3 m, convirtiéndola en la mayor de las tortugas existentes hoy en día. También es la única capaz de elevar sensiblemente su temperatura corporal mediante el trabajo muscular, lo cual le permite adentrarse en mares tan fríos como el Atlántico Norte.

Las tortugas acuáticas viven en los ríos, lagos y charcas de todo el mundo, siendo especialmente abundantes en las regiones tropicales. Algunas especies son excelentes nadadoras y apenas salen del agua, mientras que otras suelen vivir cerca de la orilla y se limitan a caminar bajo el agua. Las denominaremos especies «acuáticas o palustres». Entre ellas se encuentran las tortugas cuello de serpiente (familia *Chelidae*), muchos galápagos (familia *Emydidae*) y las tortugas del fango (familia *Kinosternidae*). Definiremos como tortugas «semiterrestres» a aquellas que viven principalmente en el medio terrestre, como por ejemplo las tortugas de caja.

CLASIFICACIÓN DE LAS TORTUGAS SEGÚN SU HÁBITAT

LO QUE NOS INDICA SU MORFOLOGÍA

	Terrestres	Acuáticas	Palustres (o anfibias)
Caparazón	abombado	convexo y aplanado como la superficie de un canto rodado	todas las formas intermedias desde plano a abombado
Extremidades	patas columnares de sección redonda; escamas gruesas; uñas gruesas y cortas	aplanadas y con una membrana interdigital muy desarrollada; uñas afiladas	aplanadas; membrana interdigital menos desarrollada o ausente; uñas afiladas
Comportamiento	terrestre; como mucho se baña durante una hora en poca agua; nunca se sumerge	vive principalmente en el agua, permanece sumergida minutos e incluso horas (según las especies)	tiende a ir al agua, permanece en ella durante horas y se sumerge; pero también vive en tierra (según las especies).

Todas ellas, al igual que las especies marinas, desovan únicamente en tierra.

Las tortugas terrestres suelen vivir en zonas áridas o incluso desérticas, en las que su aporte de agua depende del consumo de plantas crasas y otros vegetales con una buena provisión de líquido. Excavan profundas madrigueras para poder aprovechar la elevada humedad subterránea (hasta un 80%) debida al agua que asciende en el suelo por capilaridad.

La tortuga, un animal solitario

Las diferencias morfológicas de las tortugas nos muestran claramente cómo ha tenido que adaptarse cada una para poder sobrevivir. Generalmente, las tortugas adultas basan su protección en la dureza del caparazón. Pero las crías pueden ser presas fáciles para aves y otros predadores capaces de llevárselas o de ingerirlas enteras, por lo que basan su defensa en el camuflaje para pasar desapercibidas. Pero también hay algunas especies que siguen camuflándose al llegar a adultas, como por ejemplo la matamata (*Chelus fimbriatus*). Las tortugas acuáticas solamente se reúnen para subirse a tomar el sol en el único tronco de árbol caído en su charca (ver «¿Sabía usted que...» pág. 108). Pero lo hacen por falta de espacio, y no para estar juntas. La ventaja es que así siempre habrá alguna que esté alerta y pueda detectar a tiempo la aproximación de un ave rapaz, haciendo que todas salten al agua a la mínima alarma. Una vez en el agua se separan todas y se acaba la «sociabilidad».

Generalmente, las tortugas solamente buscan compañía en la época del apareamiento. Pero los encuentros entre machos y hembras son de escasa duración y sólo sirven para asegurar su descendencia. Muchos de estos encuentros solamente duran un par de minutos. Por lo tanto, las tortugas es muy difícil que sufran de soledad.

Morfología

Caparazón: Es el elemento más característico de las tortugas y está formado por huesos «vivos» de la columna, de las costillas y de la cintura escapular, así como por piel osificada. Como parte de su esqueleto, desempeña un papel fundamental en su crecimiento. Está recubierto por una cutícula. Genera hacia el exterior unos escudos córneos que se unen en las junturas. Allí es donde queda al descubierto la capa dérmica inferior.

En muchas tortugas, los escudos córneos presentan unos «anillos de crecimiento» que permiten hacernos una idea acerca de las fases de crecimiento del caparazón. Sin embargo, no es posible calcular la edad del animal del mismo modo que se hace al contar los anillos de crecimiento de un árbol.

Con el paso de los años, el caparazón de las tortugas terrestres se hace más abombado y los escudos córneos se vuelven más gruesos. Mientras el animal esté sano, no se desprenderá de escudos enteros. Sin embargo, esto es algo normal en muchas tortugas acuáticas tales como las de los generos *Pseudemys*, *Trachemys*, *Chelodina* y otros. Los colores tienden a difuminarse con la edad, y en muchas especies el caparazón se vuelve más oscuro.

Extremidades: La mayoría de las tortugas terrestres completan su protección mediante las gruesas escamas córneas y cónicas de la cara externa de sus extremidades. Al retraerse dentro del caparazón, el animal bloquea sus aberturas con sus extremidades orientando las robustas escamas de estas hacia el exterior. Sin embargo, las tortugas acuáticas tienen en sus extremidades unas escamas muy pequeñas y finas, o carecen completamente de ellas, lo que les facilita notablemente la movilidad en el agua.

Uñas: Todos los dedos están provistos de uñas más o menos largas que crecen constantemente. En la naturaleza las desgastan al caminar sobre un suelo áspero, y en el terrario también es necesario proporcionarles un sustrato que les permita hacerlo. Si la tortuga tiene las uñas demasiado largas, puede quedarse enganchada por ellas e incluso llegar a arrancárselas. Esto siempre ocasiona lesiones de difícil curación.

Pico: Otra característica propia de las tortugas es que carecen de dientes. El borde de su

SUGERENCIA

Uñas para el apareamiento

En las tortugas, las uñas largas no siempre son una malformación. En el caso de las tortugas norteamericanas de orejas rojas, las uñas largas de las patas delanteras son un caracter sexual secundario de los machos. Durante el cortejo, extienden sus extremidades delanteras y sujetan el caparazón de la hembra con sus uñas.

Al galápago europeo le encanta salir a tomar el sol.

boca, denominado también «pico», está formado por unas placas córneas que les permiten trocear fácilmente tanto plantas como pequeños animales. Muchas tortugas terrestres tienen el borde de estas placas dentado como una sierra, lo cual les facilita cortar los tallos duros y fibrosos de algunas plantas.

Una perfecta adaptación al medio

Caparazón: La forma y las características del caparazón varían mucho según las especies y corresponden a su adaptación al medio. Las tortugas marinas, por ejemplo, poseen un caparazón de líneas hidrodinámicas y unas extremidades transformadas en aletas que les permiten alcanzar una velocidad de hasta 70 km/h cuando se trata de capturar a un veloz calamar.

La tortuga africana *Malacochersus tornieri* posee un caparazón tan blando y elástico como nuestras uñas, lo cual proporciona una mayor movilidad a sus extremidades. Esto, unido a sus afiladas uñas, hace que el animal sea capaz de trepar por paredes rocosas verticales de varios metros de altura.

Las tortugas blandas no están protegidas por una coraza ósea sino por una piel coriácea y elástica. Como contrapartida, permanecen la mayor parte del tiempo enterradas y camufladas en los fondos cenagosos de las aguas en las que viven y son perfectamente capaces de defenderse a mordiscos.

Otras especies han desarrollado en su caparazón unas articulaciones en forma de charnelas o «bisagras» que les permiten cerrarlo por completo después de retraer la cabeza y las extremidades (ver foto de la página 7).

Cabeza: A las tortugas acuáticas las reconocemos fácilmente por la forma de su cabeza: tienen los ojos y las aberturas nasales en el punto más elevado. Así pueden asomarlos fuera del agua manteniendo el resto del cuerpo sumergido. Respiran y observan su entorno sin delatar su presencia a los posibles predadores. La cabeza y el caparazón quedan bajo el agua y generalmente se disimulan aún más con la vegetación flotante. En comparación, si una tortuga terrestre tuviese que hacer lo mismo tendría que estirar mucho más la cabeza, ya que tanto sus ojos como sus aberturas nasales están en una posición mucho más retrasada.

Los cinco sentidos de las tortugas

Al igual que nosotros, las tortugas también disponen de cinco sentidos para salir adelante en esta vida y ser capaces de buscar comida, reconocer peligros, identificarse y reproducirse. Las tortugas ven muy bien de lejos y distinguen objetos pequeños incluso a 10 metros de distancia. Además identifican muy bien los colores amarillo, rojo y verde, así como los movimientos. Su buena capacidad visual les es de gran ayuda para buscar comida, localizar pareja y orientarse en su medio natural para encontrar un escordrijo o un lugar para tomar el sol. De cerca (delante de los ojos) ven bastante peor. Algunas especies que viven en aguas turbias o cenagosas también ven bastante mal, pero en ese caso tienen muy desarrollados los sentidos del gusto y del olfato.

Oído: Las tortugas tienen el sentido del oído relativamente poco desarrollado y orientado principalmente a los tonos graves. Las hembras reaccionan ante los sonidos guturales que emiten los machos durante el apareamiento. Además, son capaces de percibir sonidos a través de su caparazón, tanto en tierra como en el agua. El tejido óseo se encarga de transmitir las vibraciones hasta el oído, que cuenta con un tímpano externo y está cubierto por la piel. Se aprecia como una estructura circular situada detrás del ojo y a la altura de la articulación del maxilar.

Olfato: Todas las tortugas cuentan con un buen sentido del olfato, que les sirve tanto para localizar el alimento como para buscar pareja. Las tortugas acuáticas hacen circular el agua por la cavidad nasal al mismo tiempo que contraen y dilatan la cavidad bucal. Otras expulsan lentamente el agua por la boca. Cuando las tortugas terrestres desean analizar un determinado olor mueven rítmicamente su hioideo.

Gusto: Este sentido está muy ligado al olfato. Mientras que el olfato se encarga de analizar el alimento antes de consumirlo, el gusto confirma que es bueno una vez está ya en la boca.

Percepción térmica: Evaluar la temperatura es de una importancia vital. Las tortugas poseen células termosensibles en la piel, especialmente en la parte anterior de la cabeza y bajo las plantas de los pies. Así pueden elegir los mejores lugares para calentarse o para depositar sus puestas.

A la tortuga china de tres crestas le gusta mucho el calor. En Europa sólo podemos tenerla al aire libre durante el verano.

¿Cómo respiran las tortugas?

Si quiere ver cómo respira una tortuga tendrá que observarla muy atentamente, ya que su caparazón no se mueve. Casi todo tiene lugar en su interior, donde la musculatura se encarga (indirectamente) de expander y contraer el pulmón. Cuando el animal respira profundamente, efectúa unos movimientos rítmicos con las extremidades anteriores que le ayudan a realizar el intercambio gaseoso. En estado de reposo, a la tortuga le basta con realizar los movimientos normales del hueso hioideo. Las tortugas acuáticas también emplean el pulmón como compensador de flotabilidad. Mantiene al animal en posición horizontal y, al expulsar el aire (con la ayuda de unos músculos especiales) le permite sumergirse con rapidez.

Principio de la «calefacción solar»

Todas las tortugas funcionan según este mismo principio, ya que no pueden mantener la temperatura corporal por sí mismas, sino que han de tomar el calor del medio que las rodea. Si la temperatura ambiental baja, la de la tortuga también. Son lo que denominamos «animales poiquilotermos».

Sin embargo, la percepción térmica de las tortugas les permite elegir los lugares más idóneos para llevar a cabo su termorregulación. Las veremos tomar el sol con las extremidades y el cuello extendidos. Las tortugas de costumbres crepusculares también toman el sol de esta forma durante las primeras y últimas horas del día. Una vez alcanzada su temperatura idónea (que según las especies oscila entre 25 y 33 °C) buscan un lugar a la sombra. Las tortugas acuáticas toman el sol en la superficie, que se calienta rápidamente, y cuando ya tienen suficiente se sumergen en aguas más profundas y frescas.

TEST

¿Me conviene una tortuga?

En la naturaleza, y según las especies, las tortugas terrestres y las acuáticas tienen una esperanza de vida de 60 a 120 años. Y en terrario tampoco es raro que superen de largo los 60 años de edad. Asegúrese de que son animales adecuados para usted.

	sí	no
1. Un acuario de 400 a 600 litros de capacidad puede llegar a pesar de 250 a más de 400 kilos cuando se le suman el soporte, los aparatos y el agua. ¿Soportará su casa una carga semejante y estará su casero de acuerdo con ello?	○	○
2. ¿Dispone de espacio en el jardín para un estanque o para una instalación al aire libre con invernadero en la que poder mantener a las tortugas durante los meses de verano, o para reproducir plantas y presas vivas?	○	○
3. Las parejas no suelen llevarse bien durante la mayor parte del año. ¿Podrá disponer de un segundo acuario o terrario para separarlas? ¿Y de un tercero para las crías?	○	○
4. ¿Sabe que tendrá que hacer frente a ciertos gastos de consumo energético, alimentos y tratamientos?	○	○
5. ¿Estará dispuesto a desplazarse hasta un veterinario especializado si no hay ninguno cerca de donde usted vive?	○	○

EVALUACIÓN: Si ha contestado afirmativamente a todas las preguntas, no hay nada que le impida seguir adelante con su proyecto. Pero bastará un sólo «no» para que sea mejor que vuelva a planteárselo. Si hay más de uno es preferible que se busque otra mascota.

Esta tortuga acuática norteamericana suele tomar el sol flotando en la capas superficiales del agua, que absorben mucho calor y dejan pasar los rayos UV.

En tierra, las formaciones rocosas y los suelos de grava o losas retienen el calor durante mucho rato y las tortugas pueden aprovecharlo mucho después de que el sol ya se haya puesto.

Comportamiento

Por el comportamiento de su tortuga podrá deducir si el animal se siente a gusto y cuáles son sus necesidades: buscar alimento o ponerse a resguardo de posibles predadores, alcanzar la temperatura corporal idónea, evitar el exceso de frío o calor, ir en busca de una pareja o de un lugar para desovar. Observando a una tortuga en cautividad también se puede deducir si el animal está enfermo o herido, ya que entonces su comportamiento no será el habitual. Por lo tanto, cuanto más conozca a su tortuga y mejor la observe, antes detectará cualquier posible anomalía que requiera una visita al veterinario (ver página 93 y siguientes). Le aseguro que observar el apasionante comportamiento de su tortuga a lo largo del año le compensará con creces el tiempo y el dinero que deba invertir en ella. Al principio deberá observarla con mucho detenimiento. Si se da cuenta de que es tímida y/o asustadiza, podrá facilitarle la aclimatación proporcionándole más refugios y escondrijos. También podrá determinar si a la tortuga le cuesta salir del agua y si necesita más troncos que le permitan llegar a la orilla. Del mismo modo, verá si puede tomar cómodamente el sol en el lugar dispuesto para ello, o si no.
A continuación veremos cuál es el comportamiento normal de una tortuga sana. Da lo mismo que se trate de una especie terrestre o acuática. Usted también debería poder identificar estas pautas de comportamiento en su animal.

Un día en la vida de una tortuga

Especies diurnas: Después del reposo nocturno, una tortuga adulta buscará un lugar en el que poder calentarse hasta alcanzar una temperatura de actividad de 25 a 33 °C. Lo más habitual es que lo hagan tomando el sol. Si el cercado es lo suficientemente amplio, lo recorrerá olfateándolo, comerá tranquilamente y buscará posibles alimentos dispersos por la zona. Luego se retirará a descansar y a hacer la digestión, aunque a veces es posible que antes vuelva a tomar el sol durante un rato, ya que es muy importante digerir a la temperatura adecuada. Por la tarde volverá a salir en busca de comida y finalmente regresará a su refugio para dormir por la noche. La jornada de los juveniles discurre de modo similar, pero pasan menos tiempo a descubierto en busca de comida.

Especies crepusculares: Salen al amanecer en busca de comida y luego se calientan con los primeros rayos de sol. A continuación se esconden. Vuelven a salir a comer al atardecer y luego duermen durante la noche.

La época del apareamiento

Las parejas se reconocen por el olor a bastantes metros de distancia y sin necesidad de verse. Y esto sucede tanto en las especies terrestres como en las acuáticas. Si tiene a su pareja de tortugas terrestres en instalaciones separadas, es posible que note que intentan reunirse superando paredes y cualquier otro obstáculo que se interponga entre ellas.

¿Conoce el ciclo diario de su tortuga?

Para esta experiencia es necesario que la instalación cuente con luz natural o que la luz artificial siga un fotoperíodo natural. Es decir, que si hay luz artificial ésta deberá estar encendida durante las mismas horas que las que dura la luz diurna.

Empieza la prueba:

Oculte la instalación con papel de embalaje, de modo que la tortuga no pueda verle. Así evitará cualquier comportamiento condicionado («¡Ajá, ahora va a darme de comer!»). Haga algunos agujeros para poder observar a la tortuga sin ser visto. A lo largo de 24 horas, anote cuándo está activa y cuándo se retira a descansar. Ahora ya sabrá a qué horas ha de darle de comer y a cuáles es mejor que la deje en paz.

Mis resultados:

Si anota detalladamente sus observaciones, conseguirá un **diario de campo** sumamente interesante. Le servirá de calendario orientativo para los años venideros.

En cuanto las coloque juntas, el macho empezará a cortejar a la hembra. En algunas especies puede ser muy sutil (como en las tortugas pintadas del genero *Emydura*), mientras que en otras es más directo, es decir, que se aparean sin mucho cortejo previo (tortuga almizclada). En las tortugas terrestres, los machos rodean a las hembras y les golpean el caparazón o les muerden las extremidades delanteras para inmovilizarlas. Si la hembra está receptiva, se detiene con la cabeza y las extremidades anteriores retraídas y la cópula tiene lugar sin que salga herida. Pasadas algunas semanas, excavará un hoyo con las patas traseras y depositará sus huevos en él. Seguidamente los cubrirá con tierra y procurará disimular el lugar lo mejor posible. Si hay otras tortugas en la misma instalación, es posible que antes de desovar se muestre muy agresiva con ellas.

Ciclo anual

Si en verano hace mucho calor, muchas especies de tortugas es posible que se entierren durante algunas semanas para llevar a cabo un período de reposo estival (ver página 90). Entre ellas se cuentan la tortuga rusa y algunas especies del genero *Pelomedusa*. Estas últimas suelen enterrarse en verano cuando se secan las aguas en las que viven. Durante el reposo estival no hay que molestarlas, ya saldrán por sí solas cuando lo crean oportuno.

Las tortugas que hibernan vacían por completo su intestino en otoño (octubre-noviembre) y se entierran en un escondrijo bien oscuro. A lo mejor aparecen ocasionalmente, pero no vuelven a comer hasta que no ha finalizado por completo su período de reposo invernal (ver página 86 y siguientes). En primavera, cuando vuelvan a subir las temperaturas, ya se reactivarán por su cuenta. Las tortugas terrestres se dan un buen baño, beben en abundancia para rehidratarse, y al cabo de una semana empiezan a comer.

Advertencia: Las especies tropicales no hibernan (Ver «Especies», página 22 y siguientes).

Su comportamiento puede ser una señal de alarma

Cuando su comportamiento se aparta de lo normal es señal de que sucede algo. Estos son los dos casos más frecuentes:

- Su tortuga sigue sin comer a las dos o tres semanas de haber salido de la hibernación, está amodorrada, pesa poco y pasa casi todo el día bajo la lámpara calefactora o en el agua. Es probable que ya estuviese enferma antes de iniciar la hibernación. Llévela al veterinario.
- La falta de apetito en las épocas de actividad puede deberse al mal tiempo o a un descenso de las temperaturas. Si la situación no se normaliza al mejorar el tiempo habrá que llevar a la tortuga al veterinario.

Biología

La biología de las tortugas viene definida por su forma de alimentarse, influyendo de

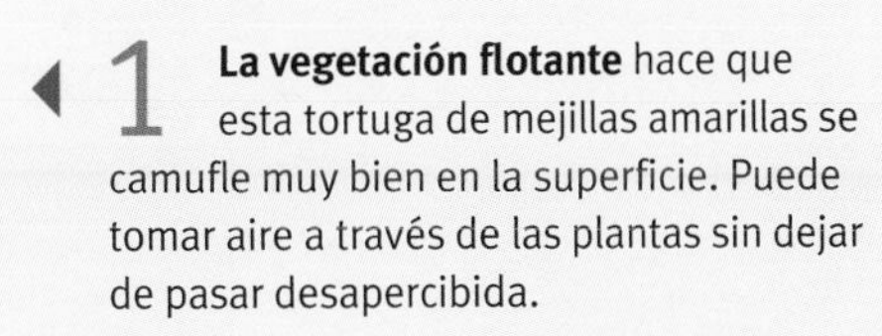

1 **La vegetación flotante** hace que esta tortuga de mejillas amarillas se camufle muy bien en la superficie. Puede tomar aire a través de las plantas sin dejar de pasar desapercibida.

Las rocas y troncos sumergidos ofrecen un buen punto de apoyo a tortugas como esta *Mauremys*. Estos elementos son necesarios para que la tortuga pueda asomarse cómodamente a la superficie para respirar. 2

3 **Las rocas** del terrario al aire libre acumulan calor durante el día, dan sombra a la tortuga y le ayudan a desgastar sus uñas de forma natural.

Un rincón con tierra blanda es algo que no debería faltar en ninguna instalación para tortugas terrestres. Así pueden excavar y ocultarse cuando lo desean. 4

forma vital en las dimensiones de su territorio (dimensiones del cercado, necesidad de espacio). Y esto le resultará más evidente si observa detenidamente su forma de conseguir el alimento.

Cazadoras activas: Entre ellas se cuentan las tortugas pintadas juveniles, muchos galápagos, diversas especies del genero *Terrapene*, y *Cuora flavomarginata*. Persiguen activamente a sus presas aunque estas intenten huir (grillos, miriápodos).

Cazadoras al acecho: Se camuflan bajo el agua hasta hacerse prácticamente invisibles y permanecen inmóviles hasta que la presa se pone a tiro. Entre estas se cuentan la matamata y las tortugas blandas.

«Recolectoras»: Entre ellas se cuentan especies omnívoras. tales como los ejemplares adultos de galápagos y tortugas pintadas. Van de un lado a otro y «recolectan» pequeños animales del suelo y de los tallos de las plantas. También hay que incluir en esta categoría a las tortugas terrestres que consumen las plantas que van encontrando a su paso.

Cuidado: En la naturaleza es normal que las tortugas coman ocasionalmente un poco de tierra. Si no pasa de ahí, forma parte de su comportamiento natural y no hay que preocuparse por ello, siempre que el sustrato sea de las características que se recomiendan en este libro (ver página 130 y siguientes). Pero si su tortuga come mucha tierra y lo hace con frecuencia, se señal de que algo le falta. Y generalmente son minerales. Lle-

¿SABÍA USTED QUE...

... las tortugas pueden morir de estrés?

A algunas tortugas, el simple hecho de ver a un ejemplar dominante y del que no pueden huir puede producirles un estado de apatía que acab llevándolas a la muerte. Esto fue lo que nos sucedió con unas matamat: Colocamos a una pareja de esta especie en una misma instalación y al cabo de poco tiempo nos dimos cuenta de que una de las dos tortugas había dejado de comer. Parecía estar estresada, por lo que la trasladamos a un acuario contiguo desde el que podía ver a la otra tortuga a través del vidrio. Pero siguió sin comer y murió al cabo de uno meses antes de que sus cuidadores pudiesen darse cuenta de cuál era origen del problema. El animal estaba en el fondo y había muerto de inanición. Al realizar la necropsia no se encontró ninguna anomalía orgánica, por lo que se dedujo que había muerto de estrés. Nadie se había dado cuenta del estrés que le producía el simple hecho de ver al ejemplar dominante a través del vidrio.

ve el animal al veterinario, compruebe su dieta y asegúrese de que esta contenga calcio y fósforo en la relación adecuada (ver página 66).

Expresión corporal

Cuando usted está con una persona conocida, le basta con ver su expresión o su postura para saber cuál es su estado de ánimo y si está o no de buen humor.

Con las tortugas al principio resulta más difícil. Pero si la observa atentamente y con frecuencia, pronto será capaz de conocerla mejor. A continuación veremos algunas de sus principales pautas de comportamiento y su significado.

Baño de sol: A una tortuga sana siempre le gustará colocarse al sol o bajo la lámpara calefactora. Extiende la cabeza y las extremidades para exponer al sol la mayor cantidad de piel posible.

Normal: Toma el sol varias veces al día durante horas.

Sospechoso: Permanece al sol ininterrumpidamente durante todo el día. En este caso es posible que el animal esté enfermo o que la fuente calorífica sea demasiado débil (mida la temperatura).

Baño de agua: Una tortuga terrestre (a excepción de la tortuga rusa) se coloca en el recipiente del agua. Bebe o defeca en él.

Normal: Parece estar bien despierta y abandona el agua al cabo de 5 a 20 minutos.

Sospechoso: Permanece en el agua durante horas, baja la cabeza y parece anodorrada y cansada. Es posible que esté enferma. Llévela al veterinario lo antes posible para que la examine.

Excavación de hoyos: Las hembras sexualmente maduras emplean sus extremidades posteriores para excavar en la zona expuesta a la lámpara calefactora, o en montículos de tierra si están al aire libre. Suelen hacerlo a última hora de la tarde.

Normal: Después de acabar el hoyo, la hembra deposita sus huevos en él y los cubre con tierra.

Sospechoso: La hembra no desova, se muestra inquieta y excava más hoyos. Es posible que tenga retención de huevos (ver página 97). Llévela al veterinario con urgencia.

«Bombeo» con las extremidades anteriores: La tortuga se apoya sobre sus cuatro extremidades y retrae rítmicamente las anteriores como si bombease.

Normal: Es normal que lo haga para respirar profundamente después de hacer un esfuerzo.

Sospechoso: Si lo hace de forma constante y acompañado de sonidos extraños al respirar es posible que esté enferma. Deberá llevarla al veterinario.

Enterrarse en el suelo: La tortuga se entierra en posición horizontal hasta un tercio o la mitad de su cuerpo manteniendo fuera la cabeza y parte del caparazón.

La tortuga de mejillas amarillas observa con curiosidad el mundo que la rodea.

Normal: Las especies crepusculares pasan el día de este modo.
Sospechoso: Las especies diurnas es posible que encuentren el ambiente demasiado seco o demasiado caluroso. Buscan protección. Compruebe las condiciones en las que están.

Intentos de apareamiento con piedras: Los machos montan piedras cuya forma les recuerda la de una tortuga. No es preocupante ya que se trata solamente de una expresión sexual por parte de un macho sexualmente activo que no dispone de ninguna hembra a su alcance.

Los juveniles de las tortugas terrestres –como éstos de tortuga mediterránea– suelen esconderse mucho durante los primeros años de vida. Serían una presa fácil para urracas y grajos.

Especies de tortugas

La clave está en una buena elección: Si tiene poca o ninguna experiencia con tortugas, le recomiendo empezar con especies fáciles o muy fáciles de cuidar y cuyas exigencias resulten fáciles de satisfacer.

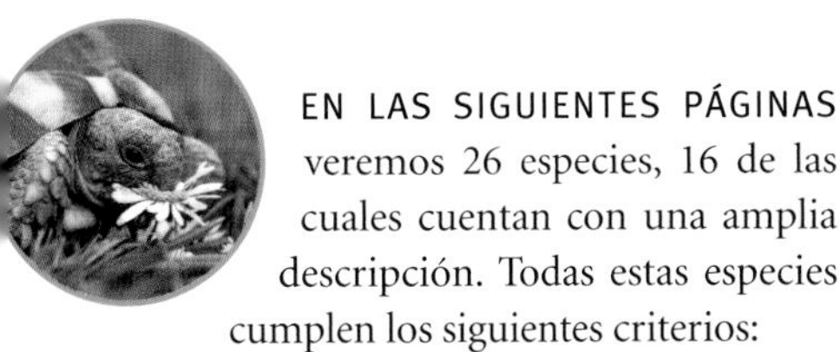

EN LAS SIGUIENTES PÁGINAS veremos 26 especies, 16 de las cuales cuentan con una amplia descripción. Todas estas especies cumplen los siguientes criterios:

- La mayoría no crecen mucho, por lo que pueden permanecer durante todo el año en un terrario de interior si no se dispone de instalación al aire libre.
- Se reproducen regularmente en cautividad y, por lo tanto, son fáciles de conseguir.
- En las descripciones de especies verá claramente cuáles viven bien en acuario y cuáles necesitan un acuaterrario o un terrario, y si necesitan hibernar o no.
- Respete las dimensiones que se indican para las instalaciones de los animales; están indicadas teniendo en cuenta el comportamiento y las necesidades de espacio de los animales.

Tabla: En las páginas 30/31 incluyo 10 especies más, pero cuyas exigencias de alojamiento, alimentación o reproducción hacen que sólo sean aconsejables para cuidadores con una cierta experiencia.

Advertencia: No he incluido especies muy grandes y pesadas, ni aquellas que resultan muy delicadas de cuidar –aunque se las encuentre habitualmente en el comercio– ya que considero que deberían estar reservadas a los expertos. Las especies muy grandes también necesitan mucho espacio; generalmente terrarios del tamaño de una habitación o instalaciones al aire libre de por lo menos 100 m^2. Por este motivo, en este libro no encontrará referencia alguna a las siguientes especies:
Tortuga mordedora (*Chelydra serpentina*), de hasta 47 cm y 22 kg; tortuga de bosque (*Geochelone denticulata*), de hasta 60 y peso máximo desconocido; tortuga de espolones (*Geochelone sulcata*), 80 cm y hasta 60 kg; tortuga aligator (*Macrochlemys temmincki*), 70 cm y hasta 100 kg; tortuga pintada de Florida (*Pseudemys floridana*), tortuga pintada de jeroglífico (*P. concinna*) y tortuga de vientre rojo de Florida (*P. nelsoni*), cuyas hembras alcanzan una talla de hasta 40 cm.

SUGERENCIA

Híbridos

Un híbrido es el resultado del apareamiento de dos tortugas pertenecientes a especies o subespecies distintas. Generalmente es necesario tener mucha experiencia para poder distinguirlos. En la naturaleza suelen aparecer en las zonas en que se solapan las áreas de distribución de dos especies, pero la mayoría son de «origen humano». Esos ejemplares no hay que emplearlos como reproductores (ver «Protección de las especies», página 111).

Diurna, acuática, en aguas abiertas; no hiberna; carnívora; 18 cm de media. Los ejemplares de origen australiano alcanzan los 25 cm. Se reproduce muy bien en cautividad.

Tortuga de vientre rojo

Emydura subglobosa

Existen 2 subespecies (según los autores): *E.s. subglobosa* y *E.s. worrellii*. **Distribución:** Desde el sur de Nueva Guinea hasta el extremo norte de Australia (Cape York; Jardine River y sus afluentes). Vive tanto en ríos caudalosos como en lagos y lagunas. **Mantenimiento:** En acuario (por lo menos 300 l de volumen total para 1 ó 2 animales) durante todo el año, necesita por lo menos 40 cm de profundidad. Temperatura del agua de 25 °C de noviembre a febrero y 27 °C durante el resto del año. Temperatura del aire 2 °C superior a la del agua durante el día. Si sólo vive en acuario necesitará adición de luz artificial y radiación UV. También toma el sol en el agua; en ese caso hay que duplicar el tiempo de la radiación UV (ver página 42). Se la puede mantener al aire libre solamente durante el verano y en un lugar resguardado del viento. **Comportamiento:** Muy buena nadadora, rara vez sale a tierra; a veces es tímida. **Particularidades:** Interesante cortejo nupcial (movimientos rituales con las extremidades delanteras e inclinaciones de cabeza). Desova de abril a junio depositando de 7 a 10 huevos por puesta; puede desovar varias veces al año. Los huevos eclosionan al cabo de 6 ó 7 semanas incubados a 28 °C. «Tortuga de cuello largo» (ver página 25).

Diurna, palustre de vida anfibia; hiberna (según su procedencia); carnívora. Tamaño máximo de los adultos de unos 17 cm, ocasionalmente 20 cm.
Se reproduce muy bien en cautividad; no cruzar subespecies.

Galápago europeo

Emys orbicularis

Se reconocen 13 subespecies, entre ellas *E.o. orbicularis* (Europa central), *E.o.hellenica* (llanuras del Po, Balcanes), *E.o. fritzjuergenobsti* (España). **Distribución:** Centro y sur de Europa, Balcanes, Nordeste de África. **Mantenimiento:** Puede vivir en acuaterrario durante todo el año. La parte acuática deberá medir por lo menos 120 × 50 cm con una profundidad de 40 cm (=240 litros). Temperatura del agua de 22-25 °C, necesita lámpara calefactora. Si sólo está en acuario necesita luz artificial y radiación UV; es mejor alternar con una instalación al aire libre. Si se quiere tener una pareja, es preferible emplear dos estanques pequeños separables que uno grande. **Comportamiento:** Buena nadadora, le gusta tomar el sol en tierra; a veces es tímida. **Particularidades:** Come alimento vegetal (10%) incluso al llegar a adulta. Machos y hembras han de estar separados excepto durante la época del apareamiento. Desova a partir de junio, generalmente por la tarde. Pone hasta más de 12 huevos enterrándolos a unos 10 cm de profundidad. Eclosionan al cabo de 3 meses. Si adquiere ejemplares nacidos en cautividad le recomiendo que los elija de una subespecie pura. **Especies que requieren cuidados similares:** Tortugas acuáticas del genero *Mauremys*, pero pocas se reproducen en cautividad.

Diurna, acuática, en aguas abiertas; hiberna a 5 °C, la subespecie meridional lo hace a 10 °C. Los machos alcanzan una talla media de hasta 11 cm, y las hembras de 15 cm.

Tortuga ornada

Chrysemis picta

Existen 4 subespecies; la más pequeña es la tortuga ornada del sur (*C. picta dorsalis*). Estas subespecies suelen hibridarse en la naturaleza. **Distribución:** Desde el sur de Canadá hasta la costa del Golfo en EE UU y también hacia el oeste. **Mantenimiento:** Acuarios con una superficie de 120 × 50 cm y por lo menos 40 cm de profundidad (=240 l). Las subespecies grandes necesitan 300 l de agua. Temperatura del agua de 23 a 27 °C, según procedencia. Si se las mantiene exclusivamente en acuario hay que proporcionarles iluminación artificial y radiación UV; en la zona terrestre hay que calentar una zona a 40 °C (lámpara calefactora). Es recomendable mantenerla al aire libre cuando sea posible. En acuario es recomendable mantener un solo ejemplar. **Comportamiento:** Buena nadadora, le gusta salir a tierra para tomar el sol; no suele tolerar la presencia de otras tortugas, especialmente en acuarios poco espaciosos. **Particularidades:** Los machos son muy poco tolerantes. Las hembras de *C.p. dorsalis* alcanzan la madurez sexual a los 2 años. Desovan de mayo a julio poniendo de 1 a 3 puestas de 1 a 14 huevos. Las puestas de las subespecies pequeñas son menos abundantes. Los huevos eclosionan al cabo de 2 meses.

Nocturna, vive en la orilla (palustre); los individuos de procedencia más septentrional tienen que hibernar durante 2 ó 3 meses a 5-10 °C; carnívora. Los machos alcanzan una talla de 10 cm y las hembras de 9 cm. Se reproduce muy bien en cautividad.

Tortuga almizclada

Sternotherus odoratus

No se reconocen subespecies. **Distribución:** Desde el sureste de Canadá hasta Florida, pasando por el este de EE UU. Aguas estancadas o de curso lento sobre lecho blando. **Mantenimiento:** acuaterrario de 100 cm de largo, 40 cm de ancho y 50 cm de alto (=200 l); zona acuática con 25 ó 30 cm de profundidad para los ejemplares adultos (unos 100 l de agua) y 10 ó 15 cm (unos 40 ó 60 l de agua) para los juveniles. Temperatura del agua de 25 °C; han de poder calentarse y recibir radiación UV en el agua (ver página 128). Suelo arenoso de 2 cm de espesor. En el agua hay que colocar troncos (ver página 38 y siguientes) y escondrijos oscuros (corteza de corcho, ver página 39) con fácil acceso a la superficie. **Comportamiento:** Le gusta tomar el sol en la superficie; de costumbres crepusculares, prefiere pasar el día oculta. Nada poco, suele caminar y trepar sobre raíces y rocas. No sale mucho del agua, pero a veces va a tierra para comer. **Particularidades:** Es recomendable mantenerla sola, las parejas han de estar separadas excepto durante la época del apareamiento. Pone de 2 a 4 huevos. Eclosionan al cabo de 11 ó 12 semanas y los neonatos son muy pequeños.

Diurna, acuática y terrestre; según la procedencia hiberna en el agua durante 3 meses a 4-7 °C, de lo contrario permanece activa a 13-15 °C, pero entonces come menos; carnívora, los adultos consumen hasta un 10% de alimento vegetal. La talla máxima de los machos es de 12 cm y la de las hembras de 18 cm. Se reproduce bien en cautividad.

Tortuga crestada china

Chinemys reevesii

Se reconocen 2 subespecies, *C.r. reevesii* y *C.r. megalocephala*, así como unas 30 variedades geográficas. **Distribución:** Sureste de China, Taiwán, Japón y Hong Kong. Zonas palustres y humedales. **Mantenimiento:** Acuaterrario de 120 cm de largo, 60 cm de ancho y 50 cm de alto (unos 360 l). Profundidad del agua de 20 cm (unos 60 l) para los adultos y de 5 a 7 cm (unos 18) para los juveniles. Temperatura del agua de 24 a 26 °C y lámpara direccional para calentar una zona en tierra a 40 °C; preguntar al criador la temperatura idónea o hacer la prueba (ver página 38). Zona terrestre con escondrijos estrechos (troncos huecos, cuevas) y zona para tomar el sol en una esquina con lámpara UV y calefactor. Es recomendable mantenerlas al aire libre. **Comportamiento:** Nada bastante mal; los juveniles suelen permanecer en el agua, pero a los adultos también les gusta salir a tierra. Tanto juveniles como adultos toman el sol en tierra. No le molesta la presencia de otras tortugas, tanto de su especie como de otras, lo cual facilita mantenerlas en grupo (no aconsejable para principiantes) así como su reproducción. **Particularidades:** Los machos de más de 6 años tienden a ser melánicos (negros). Ponen de 2 a 8 huevos, generalmente en junio; pueden desovar varias veces al año. Eclosionan al cabo de 8 ó 10 semanas y los neonatos miden solamente 3 cm.

Diurna; lleva una vida anfibia ligada a la orilla; hiberna en el agua, según su procedencia 2 ó 3 meses a 7 °C ó 6 ó 7 meses a 3-4 °C; carnívora, los adultos necesitan un 10% de alimento vegetal. Tamaño máximo de unos 10 cm. No se reproduce mucho en cautividad.

Tortuga moteada

Clemmys guttata

No se reconocen subespecies. **Distribución:** Desde el sureste de Canadá hasta Florida pasando por el este de EE UU; marismas, ríos de curso lento, zonas palustres. **Mantenimiento:** Acuaterrario de 1m de longitud, 40 cm de ancho y 50 cm de alto (= 200 l); necesita un agua muy limpia con unos 5 cm de profundidad para los juveniles (unos 20 l) y 20 cm (unos 80 l) para los adultos. Según su procedencia necesitará una temperatura del agua de 22 a 27 °C; consultar al criador o comprobarlo (ver página 38). Calentar una parte de la zona terrestre a 40 °C con una lámpara direccional. A partir de 8 cm hay que ampliar la zona terrestre a 50 × 40 cm. Proporcionarles luz natural y UV. En verano es preferible mantenerlas en un estanque de jardín. **Comportamiento:** Es preferible el mantenimiento individual, ya que incluso las hembras se llevan mal entre ellas. Si el agua está demasiado fría, toman el sol solamente sobre troncos o masas de vegetación flotante. **Particularidades:** Juntar los animales solamente para el apareamiento y luego volver a separarlos lo antes posible. Ponen de 2 a 8 huevos a partir de mayo, pueden desovar 2 ó 3 veces al año. Los huevos eclosionan al cabo de unos 2 meses. En la naturaleza, las hembras alcanzan la madurez sexual de los 7 a los 15 años y los machos de los 7 a los 13. La máxima longevidad registrada es de 110 años en las hembras (sólo en la parte septentrional de su área de distribución) y de 65 años en los machos.

Diurna, vive en el agua pero cerca de la orilla; puede hibernar según su procedencia: 3 ó 4 meses a 7-13 °C en el limo; de su comportamiento se puede deducir si necesita hibernar o no. Puede realizar un reposo estival. Dieta mixta (con un 75% de alimento animal). Talla máxima de 9 cm para los machos y 12 cm para las hembras. No se reproduce mucho en cautividad.

Tortuga de tres franjas

Kinosternon baurii

Se reconocen 2 subespecies: *K.b. baurii* y *K. b. palmarum*. **Distribución:** Florida, sur de Georgia, marismas y aguas muy lentas con fondos blandos. **Mantenimiento:** Acuario de 1 m de longitud, 40 cm de ancho y 50 cm de alto (= 200 l), nivel del agua de 5 cm para los juveniles (unos 20 l) y de 30 cm para los adultos (unos 120 l); fondo con un sustrato de 2 cm de arena fina. Temperatura del agua de 18 a 28 °C según la procedencia; consultar al criador o hacer la prueba (ver página 38). Colocar algas filamentosas, elodea o jacintos de agua para que se esconda. Poner hojarasca y colocar un tronco en el agua para que se suba a tomar el sol. Necesita luz natural y UV. Colocar raíces bajo el agua. **Comportamiento:** Algo tímida; trepa por los obstáculos sumergidos, pero también nada. Las parejas se toleran bien, pero si el macho es demasiado impetuoso hay que separarlas. **Particularidades:** Posee dos «bisagras» en el plastrón. Los machos poseen un espolón córneo en el extremo de la cola y almohadillas en las extremidades posteriores. Alcanza la madurez sexual de los 5 a los 7 años. Pone de 1 a 8 huevos en primavera y puede desovar varias veces al año. Los huevos eclosionan al cabo de 3 a 5 meses.

Diurna, vive en el agua cerca de la orilla; reposo invernal de diciembre a febrero con el agua a 15 ó 16 °C y poca comida; comprobar si lo necesita (ver página 98); carnívora (presas vivas). La talla máxima es de 18 cm para los machos y 20 cm para las hembras. No es muy frecuente que se reproduzca en cautividad.

Tortuga de cuello de serpiente

Chelodina longicollis

No se reconocen subespecies. **Distribución:** Este de Australia; marismas, charcas y aguas de curso lento. **Mantenimiento:** En un acuario de 120 cm de longitud, 50 cm de ancho y con una profundidad de 40-50 cm (= 240-300 l) se pueden alojar dos hembras. El macho se colocará en un acuario aparte con también un volumen total de 200 l. Temperatura del agua de 25 a 27 °C. Luz natural radiación UV y, si es necesario, una lámpara calefactora que permita alcanzar los 40 °C en una zona de la parte terrestre, de la rampa o del agua (comprobar las preferencias de las tortugas). En verano es recomendable tenerlas en un estanque al aire libre. **Comportamiento:** Es una nadadora muy activa y a la que le gusta perseguir presas vivas (grillos, etc.). Generalmente son sólo las hembras las que salen a tierra, y lo hacen tanto para desovar como para tomar el sol. Durante la época del apareamiento suelen volverse agresivas y pueden llegar a morder. **Particularidades:** Esta tortuga protege su cabeza introduciendo lateralmente su largo cuello entre el espaldar y el plastrón. Sus puestas son abundantes y pueden contar con de 8 a 18 huevos que eclosionan al cabo de 8 ó 10 semanas. Mis éxitos personales con su reproducción los atribuyo a una alimentación muy completa a base de peces enteros (gupys) y ratones recién nacidos (naturales o congelados).

Tortuga palustre de costumbres crepusculares que vive principalmente en tierra; hiberna; es omnívora y los juveniles necesitan una elevada proporción (80%) de alimento animal durante los primeros 1 ó 2 años. Talla media de 10 a 20 cm en función de las subespecies. No se reproduce mucho en cautividad; evitar los híbridos.

Tortuga de caja

Terrapene carolina

Se reconocen 6 subespecies. En Europa se comercializan generalmente *T.c. carolina*, *T.c. major* y *T.c. triunguis*, mientras que las demás no llegan casi nunca. **Distribución:** EE UU, excepto el oeste. Vive en bosques húmedos y praderas. **Mantenimiento:** Terrario con una superficie superior a los 1,2 m^2 e instalación al aire libre con invernadero provisto de calefacción. Es muy importante que la mitad de la superficie del suelo esté a 36 °C (lámpara calefactora direccional a 45 °C), por lo demás la temperatura del aire puede oscilar entre los 20 °C (de noche) y los 28 °C (durante el día); temperatura del suelo entre 20 y 26 °C. Adaptar el terrario y el invernadero según las subespecies. Es muy sensible al frío (¡cuidado en las instalaciones al aire libre!). A excepción de *T.c. triunguis*, todas las subespecies son sensibles al aire seco (con una humedad relativa inferior al 70%). Necesita una cubeta para bañarse (con 6-8 cm de agua), luz natural y UV. **Comportamiento:** Le gusta tomar el sol a primera hora de la mañana y al atardecer, pasa horas en el agua. En épocas de sequía puede permanecer enterrada durante semanas. **Particularidades:** Desarrolla las articulaciones del plastrón de los 2 a los 6 años de edad. *T.c. carolina* no supera los 16 cm de longitud, *T.c. major* es la mayor de las subespecies y alcanza los 20 cm, es buena nadadora y vive cerca del agua. Por el contrario, *T.c. triunguis* prefiere un ambiente más seco. Ponen de 1 a 8 huevos que eclosionan al cabo de 2 meses.

Diurna, anfibia, suele permanecer en el agua; según la subespecie puede hibernar de 2 a 4 meses a 18 °C (en la parte terrestre sin calefacción); principalmente vegetariana; alcanza unos 20 cm de longitud, su reproducción en cautividad no es muy abundante.

Cuora

Cuora amboinensis

Se reconocen 4 subespecies; *C.a. kamaroma*, que es la más frecuente en los comercios europeos; *C.a. amboinensis*, *C.a. cuora* y *C.a. lineata*. **Distribución:** Se la encuentra en el sureste asiático desde Myanmar hasta Filipinas e Indonesia. Vive en aguas poco profundas, con escasa corriente y fondo blando. **Mantenimiento:** Puede vivir en acuaterrario durante todo el año, zona acuática de 120 × 50 cm con fondo arenoso y una profundidad de 20 cm (unos 120 litros). Agua a 25 ó 27 °C y aire a 28 ó 30 °C con una lámpara calefactora a 40 °C. Elementos para trepar en el agua y vegetación flotante; Radiación UV y luz natural en la salida del agua; zona terrestre amplia, en el caso de que la utilice. Mantenerla al aire libre en verano. **Comportamiento:** Los machos son luchadores incansables y agresivos (mantenimiento en solitario); las hembras son muy territoriales, por lo que también hay que mantenerlas solas. En las instalaciones muy amplias al aire libre se pueden mantener varias hembras juntas. **Particularidades:** Según su procedencia pueden preferir estar en tierra (observar su comportamiento y adecuar el terrario si es necesario). Efectúan varias puestas al año de 1 a 5 huevos que eclosionan al cabo de 8 ó 9 semanas; a los juveniles hay que mantenerlos en agua muy poco profunda. A veces se comercializan híbridos de varias subespecies. No hay que emplearlos como reproductores.

Diurna; si vive en un invernadero hiberna durante unos 5 meses al año; vegetariana: los adultos alcanzan una talla media de 25 cm; se reproduce muy bien en cautividad.

Tortuga mediterránea

Testudo hermanni boettgeri

Distribución: Grecia, Turquía, Rumanía, Bulgaria, Albania, Serbia y Croacia. Bosques poco densos, zonas de matorrales. Su territorio incluye puntos de agua. **Mantenimiento:** Terrario a partir de 1,2 m^2; es preferible mantenerla al aire libre en verano, o durante todo el año si se dispone de un invernadero. Temperatura del suelo de 20 a 23 °C, temperatura del aire de 18 a 26 °C. Lámpara calefactora a 40 °C. Los juveniles necesitan muchos escondrijos y una buena malla que los proteja de las aves rapaces. **Comportamiento:** Se muestra activa a primera hora de la mañana y a última hora de la tarde. Le gusta trepar y excavar; si se la cuida bien y se le ofrece una buena variedad de vegetales se muestra muy activa y vivaz. **Particularidades:** Se caracteriza por tener un notable espolón córneo en la punta de la cola y también (generalmente) por presentar el escudo supracaudal dividido. Se puede hibridar con la tortuga mora, pero no conviene hacerlo para conservar la pureza de la especie. Las hembras alcanzan la madurez sexual a la edad de 10 a 14 años y los machos lo hacen a los 5 ó 7: Pone de 3 a 8 huevos a partir de primavera, pudiendo depositar hasta 3 puestas anuales. Eclosionan al cabo de 2 ó 3 meses.

Diurna; reposo invernal de 3 meses en invernadero, de lo contrario 5 meses; vegetariana. Los adultos suelen alcanzar una talla máxima de 30 cm, con 35 cm en casos excepcionales. Se reproduce abundantemente en cautividad.

Tortuga marginada

Testudo marginata

Según los autores se aceptan 2 subespecies: *T.m. marginata* y *T.m. weissingeri.* **Distribución:** Grecia, sur del Peloponeso, Cerdeña; principalmente en laderas secas de origen cárstico (maquis). **Mantenimiento:** Terrario de más de 1,2 m^2; imprescindible mantenerla en el exterior durante el verano, o durante todo el año si se dispone de un invernadero. Temperatura del suelo de 20 a 23 °C; temperatura del aire entre 18 °C (nocturna) y 27 °C (diurna). Lámpara calefactora a 45 °C. Protección para los juveniles. **Comportamiento:** Se muestra activa por la mañana y a última hora de la tarde. Le gusta trepar y escarbar; si está bien cuidada y dispone de abundante espacio se muestra vivaz y muy activa. Se oculta menos que la tortuga mediterránea y no evita colocarse a pleno sol. **Particularidades:** Es la tortuga terrestre europea de mayor tamaño. El borde posterior del caparazón de los machos forma un faldón característico. Puede desovar dos veces al año poniendo cada una de 3 a 8 huevos. Eclosionan al cabo de 2 ó 3 meses. Es frecuente que se cruce con la tortuga mora, tanto en la naturaleza como en cautividad. Los híbridos no han de usarse como reproductores.

Diurna; en la naturaleza hiberna de 6 a 7 meses, también puede efectuar un reposo estival; principalmente vegetariana. Alcanza una talla máxima de 25 a 30 cm. Se reproduce muy bien en cautividad.

Tortuga mora

Testudo graeca

La mayoría de autores aceptan unas 6 subespecies: tortuga mora, *T. g. graeca* en el norte de África, sur de España, Baleares y Cerdeña; con *T. (g.) soussensis* del sur de Marruecos y otras subespecies inciertas; tortuga terrestre euroasiática, *T.g. ibera* (sureste de Europa), *T.g. terrestris* (sureste-Oriente Medio), *T.g. armeniaca* (Armenia, Turquía), *T.g. buxtoni* (Cáucaso oriental, Irán), *T.g. zarudnyi* (este de Irán). **Distribución:** Ver subespecies. Estepas, zonas de matorral, bosques secos, regiones semidesérticas, cultivos. **Mantenimiento:** Terrarios de más de 1,2 m^2; imprescindible mantenerla al aire libre durante el verano, o durante todo el año si se dispone de un invernadero. Temperatura del suelo de 22 a 25 °C, temperatura del aire entre 20 °C (nocturna) y 28 °C (diurna). Lámpara calefactora a 40 °C. Le gusta el calor. **Comportamiento:** Vivaz, buena excavadora. **Particularidades:** Protuberancia córnea cónica en las extremidades posteriores. Alimentación rica en proteínas vegetales durante la primavera, proteínas animales (5% de insectos, caracoles, etc.) y abundante fibra en verano. Es difícil determinar las condiciones ambientales y la alimentación para ejemplares de origen extraeuropeo. Efectúa de 1 a 3 puestas al año con 4 u 8 huevos en cada una. Tardan de 2 a más de 3 meses en eclosionar.

Diurna; suele realizar un reposo estival y siempre hiberna; vegetariana. Alcanza una talla media de 20 cm. Se reproduce frecuentemente en cautividad.

Tortuga rusa

Testudo [Agrionemys] horsfieldii

Algunos autores reconocen hasta 3 subespecies: *T.h. horsfieldii*, *T.h. kazakhstanica*, *T.h. rustamovi*. **Distribución:** Al este del mar Caspio, desde Irán hasta Pakistán. Regiones esteparias abiertas y secas; zonas rocosas, arenosas o arcillosas. **Mantenimiento:** Terrario a partir de 1,2 m^2 para los juveniles (otoño, primavera) e instalación exterior durante el verano; si se dispone de invernadero pueden estar en el exterior durante todo el año. Temperatura del suelo de 20 a 23 °C, temperatura del aire entre 18 °C (nocturna) y 26 °C (diurna). Lámpara calefactora hasta 40 °C. Cobertura para los juveniles. **Comportamiento:** Se muestra activa a primeras horas de la mañana y al caer la tarde. Trepa bien y cava galerías de varios metros; si está bien cuidada y se le ofrece abundante alimento vegetal se muestra activa y vivaz. **Particularidades:** En la naturaleza solamente se muestra activa durante unos tres meses al año (de marzo a mayo). El período de reposo estival puede enlazar con la hibernación (de 6 a 7 meses) sin solución de continuidad. Al salir de la hibernación necesita un ambiente muy seco y caluroso. Los veranos frescos y húmedos le sientan muy mal. Si está sana no se baña jamás. Los machos sexualmente maduros son agresivos: hay que mantenerlos solos. Se reproduce como la tortuga mediterránea.

Diurna; no hiberna; omnívora (alimento vegetal y raciones de insectos cada 2 ó 3 semanas). Los adultos suelen alcanzar una talla máxima de 35 cm, pero ocasionalmente pueden llegar a los 50 cm. Se reproduce abundantemente en cautividad.

Tortuga de patas rojas

Geochelone carbonaria

No se reconocen subespecies; a lo largo de su amplia distribución geográfica se observan diferencias en el tamaño del cuerpo y de la cabeza así como en su colorido. **Distribución:** Desde Panamá hasta Argentina, en bosques tropicales y sabanas subtropicales. **Mantenimiento:** Los juveniles necesitan un terrario de 1,5 a 2,5 m^2. A los adultos hay que destinarles toda una habitación (de más de 10 m^2) o bien mantenerlos en un invernadero de por lo menos 8 m^2 con calefacción y sistema de lluvia artificial, unido a una instalación al aire libre de unos 30 m^2 provista de grandes plantas que proporcionen sombra. Necesita una temperatura del suelo de entre 22 °C (nocturna) y 25 °C (diurna), temperatura del aire de 24 °C (nocturna) a 32 °C (diurna) y una humedad relativa del aire de 80-90% durante todo el año. Es necesario emplear lámparas HQI-TS (luz intensa) y una lámpara calefactora (40 °C) para evitar un descenso de la temperatura y de la iluminación, especialmente durante el invierno. Durante el invierno europeo se puede apagar el sistema de lluvia artificial para simular la estación seca de los trópicos. Cubeta de baño con 15 cm de agua a 24-27°C. **Comportamiento:** Muy activa. **Particularidades:** Se alimenta principalmente de plantas jugosas y con mucha fibra. Necesita mucho espacio y es muy exigente con las condiciones ambientales. Puede efectuar tres puestas al año con 4 ó 5 huevos en cada una; eclosionan al cabo de 4 ó 5 meses.

Diurna (mañana y tarde); no hiberna pero puede efectuar un reposo estival de algunas semanas; vegetariana. Talla media de 15-20 cm, se reproduce poco en Europa. Para cuidadores con experiencia.

Tortuga de las grietas

Malacochersus tornieri

No se reconocen subespecies. **Distribución:** Principalmente en Kenia y Tanzania, en formaciones rocosas aisladas (kopjes); se oculta en profundas grietas entre las rocas. **Mantenimiento:** Terrario con más de 1,5 m^2, temperatura del suelo de 18 °C (nocturna) a 26 °C (diurna), lámpara calefactora direccional a 40 °C. Necesita luz natural y UV. Temperatura del aire entre 23 y 30 °C durante todo el día (ver página 38). Losas de roca con grietas en las que pueda esconderse con una temperatura de 18 °C durante la noche y de hasta 22 °C durante el día. La parte más profunda de las grietas estará ligeramente húmeda. Es importante que haya suficiente espacio libre ante las formaciones rocosas; suelo arcilloso y duro. **Comportamiento:** Trepa muy bien, se muestra activa durante pocas horas al día. **Particularidades:** Su caparazón es elástico y se abomba al retraer las extremidades, permitiéndole anclarse entre las rocas. Los machos poseen un espolón entre la cola y cada una de las extremidades posteriores. Difícil de mantener al aire libre, ya que el clima de nuestro verano corresponde al del invierno de África Oriental. Tolera bien la presencia de sus congéneres siempre y cuando disponga de suficientes escondrijos. Pone de 2 a 3 huevos alargados al año a intervalos de 6 u 8 semanas. Eclosionan al cabo de 5 u 8 meses.

OTRAS ESPECIES DE TORTUGAS CON EXIGENCIAS ESPECIALES

Especie	Talla máxima media, machos/hembras	Instalación interior / exterior (los m² hacen referencia a la superficie mínim
Chelus fimbriatus Matamata	35/40 cm, raramente se reproduce en cautividad	Acuario, 200 l, poco profundo, sombrío, orilla arenosa con poco desnivel, evitar contacto visual con otras tortugas
Cuora flavomarginata Tortuga de caja de borde amarillo	20/20 cm, raramente se reproduce en cautividad	Terrario, 0,9 m², humedad relativa del a superior al 70%, zona acuática poco profunda
Geochelone elegans Tortuga estrellada	20/36 cm, raramente se reproduce en cautividad	Terrario de más de 15 m² e instalación a aire libre
Geochelone pardalis Tortuga leopardo	45/50 cm, no se reproduce con frecuencia	Una pareja necesita un terrario de más 20 m², necesita poder estar al aire libre
Geomyda spengleri Tortuga de Spengler	11/12 cm, raramente se reproduce en cautividad	Acuaterrario de más de 1m de longitud, zona acuática y escondrijos sombríos
Indotestudo elongata Tortuga de cabeza amarilla	30/30 cm, se reproduce con frecuencia en cautividad	Terrario de más de 15 m², sombrío, clim según la procedencia (bosques de montaña o pluviselva)
Pelomedusa subrufa Pelomedusa	20 cm, se reproduce raramente en cautividad	Acuaterrario, zona acuática de 1 m de longitud (0,5 m²) y 30 cm de profundida Fondo arenoso
Terrapene carolina major Tortuga de caja Carolina	20 cm, raramente se reproduce en cautividad	Acuaterrario, 1,6 m², 25% de zona acuática, instalación al aire libre con estanque
Testudo hermanni hermanni Tortuga mediterránea	16/20 cm (es la subespecie más pequeña), se reproduce abundantemente	Terrario de más de 1,5 m²
Trachemys scripta elegans Tortuga de orejas rojas	20/28 cm, se cría en granjas, muchas hibridaciones	Acuario de más de 360 l de capacidad, pc lo menos 1,5m de largo y 40 cm de hond

limentación de los adultos	Temperatura nocturna/diurna en °C; con lámpara calefactora a 45 °C	Períodos de reposo / Particularidades
eces enteros, los peces muer- s se pueden mover con una inza	Agua a 23/24-25°C, radiación UV sobre el agua	No / Mantenimiento individual sin nada que la moleste; si se estresa deja de comer
limento animal, caza en tierra, n 10% de alimento vegetal	Aire a 22/30 °C, temperatura en función de su procedencia	Para conseguir su reproducción es imprescindible un reposo invernal a 10-15 °C
egetal, rica en fibra, heno, casionalmente insectos	Aire a 19-30 °C, sin corrientes de aire, humedad relativa del aire superior al 60%	Puede efectuar un período de reposo estival / Activa solamente por la mañana y por la tarde
egetal, chumberas, heno esco	Aire a 22/30 °C, en verano cálido, en invierno tórrido y seco	No / Instalación al aire libre de más de 100 m^2 con invernadero, escondrijos
limento vegetal y animal a artes iguales, caza ctivamente a sus presas	Agua y aire a 15/22 °C, comprobar sus preferencias	No / Muy territorial, mantenimiento individual, tranquila
egetariana, no suele consumir limentos de origen animal	Aire a 17-22/25-30 °C, informarse de su origen	No / Crepuscular, los machos son muy territoriales
arnívora, caza a sus presas en l agua	Aire a 24/28 °C según su procedencia, UV también en el agua	Reposo estival enterrada; reposo invernal según su procedencia
arnívora, caza a sus presas. ambién un 25% de alimento egetal	Aire a 22/38 °C, a 2 °C menos en invierno	Reposo invernal de 3 a 6 semanas a 15-18 °C
egetariana, heno y plantas ilvestres durante todo el año	Aire a 18/27 °C, comparar con el clima del noreste de Cataluña y sur de Francia	Hiberna / Las crías pueden ser difíciles de cuidar
rincipalmente vegetariana con n 20-30% de alimento animal	Agua a 25/28 °C, luz intensa	Según su procedencia, hiberna de 2 a 3 meses a 4-12 °C

2. Cómo les gusta vivir a las tortuga

Las técnicas que empleamos actualmente para el cuidado de las tortugas en cautividad se basan en los conocimientos adquiridos por científicos y aficionados en el mantenimiento de estos animales.

Un alojamiento adecuado para su tortuga

Las tortugas plantean muchas exigencias por lo que respecta a su alojamiento. No les basta con terrario adecuado dentro de casa, sino que también necesitan la posibilidad de tomar el sol en la terraza o de disfrutar de una instalación al aire libre en el jardín.

PARA QUE LAS TORTUGAS se sientan a gusto y se las pueda mantener de acuerdo con sus necesidades específicas necesitan un terrario o acuario lo suficientemente amplio. Dado que en el comercio disponemos de una gran cantidad de modelos, a menos que haga falta concretar más nos referiremos siempre al conjunto como «instalación». Así simplificamos las cosas.

La tortuga dentro de casa

Antes de adquirir la tortuga deberá tener en cuenta algunas consideraciones básica sobre su alojamiento.

Ubicación: Lo mejor es elegir un lugar al que le llegue la luz natural. Deberá estar bien iluminado, pero no expuesto directamente al sol, y apartado de ventanas o puertas que puedan generar corrientes de aire. Un lugar así favorecerá tanto el ciclo anual de la tortuga como el desarrollo de las plantas. Lo ideal sería un sitio bajo un techo de vidrio que se pudiese cubrir, como una galería o un pequeño invernadero.

A lo largo del año, las variaciones del fotoperíodo regulan el comportamiento de la tortuga. Así, la duración del día es lo que estimula la reproducción o el inicio del período de reposo invernal. Y si no se dispone de luz natural habrá que simularla con iluminación artificial. Es importante que evite las corrientes de aire y la exposición directa a la luz solar. Las vibraciones de los electrodomésticos (nevera, lavadora, equipo de música) les resultan tan molestas como los olores fuertes (tabaco, ambientadores) y los ruidos (radio, televisión).

La instalación de interior más grande que mencionamos en esta guía pesa unos 600 kg, contando los 400 litros de agua, los aparatos y los accesorios. Pero la menor no baja de los 250 kg. Por lo tanto, antes de comprar el material calcule cuál será el peso final de la ins-

La tortuga tiene que poder salir del agua con facilidad.

1 **Las tortugas jóvenes** necesitan tener el agua y la comida muy cerca de su escondrijo. Así pueden volver a ocultarse rápidamente después de comer y beber.

2 **Las tortugas acuáticas,** que toman el sol en tierra necesitan poder salir del agua con facilidad y regresar a ella rápidamente en caso de peligro.

3 **Un tronco bien anclado** en el fondo es un lugar ideal para que las tortugas suban a tomar el sol. Dado que pueden dejarse caer al agua con facilidad, les proporciona una gran sensación de seguridad y hace que se sientan más a gusto en su instalación.

talación y tenga en cuenta que al final todo se apoyará sólo sobre cuatro patas. Pregunte a su casero o arquitecto e infórmese de la carga que puede soportar el suelo de su casa. Si es una vivienda de alquiler es posible que necesite una autorización del propietario para instalar un terrario o un acuario de grandes dimensiones.

Dimensiones: Todos los datos se calculan en función del tamaño máximo que pueden alcanzar las tortugas y de forma que la instalación pueda albergar a una pareja o a una segunda hembra.

Tamaño mínimo: Tenga siempre muy en cuenta las necesidades de espacio de sus animales. Las medidas que yo recomiendo en este libro corresponden a los «Requisitos mínimos para el mantenimiento de reptiles» publicados por la DGHT (Sociedad Alemana de Herpetología y Terrariofília). Naturalmente, usted al principio podrá colocar a su tortuga en una instalación acorde con su tamaño y luego ir ampliándola a medida que vaya creciendo. Los terrarios pequeños podrá guardarlos para emplearlos como instalaciones de cuarentena o de cría.

Las necesidades mínimas de una tortuga terrestre, o de una tortuga palustre que viva generalmente en tierra, se calculan de esta forma: la longitud y la anchura del terrario deberán ser cinco veces la longitud máxima que pueda alcanzar el animal (por ejemplo: 5 × 20 cm = 1 m) + un 10% para la decoración. Así, el terrario para una tortuga de 20 cm deberá tener 1,1 m de largo por 1,1 m de ancho, lo cual nos da una superficie de 1,2 m².

Partiendo de estos datos se pueden alterar la longitud y la amplitud, pero de forma que no disminuya la superficie de la instalación.

Dos tortugas: Si desea añadir una segunda tortuga tendrá que aumentar la superficie en un 30%. Pero esto se aplica sólo a las hembras; a los machos casi siempre es necesario tenerlos separados.

De todos modos, es necesario que los animales puedan ocultarse uno del otro cuando lo deseen. Para que las esquinas y los escondrijos no se conviertan en trampas

cuando una tortuga huya de otra es necesario que tengan una «salida de emergencia». También conviene que los animales puedan rodear los obstáculos o pasarlos por encima.
Instalación al aire libre: ¿Dispone de una amplia instalación exterior para sus tortugas? Entonces no necesitará emplear el terrario interior durante todo el año y podrá ajustarlo a las medidas mínimas.

Terrario para tortugas terrestres

La estructura del nuevo hogar para su tortuga terrestre será similar a la de un acuario de vidrio. Naturalmente, el bienestar de la tortuga no sólo dependerá de las dimensiones del terrario sino también de su acondicionamiento interno.

Acondicionamiento

La decoración del terrario desempeña un papel fundamental. En las tiendas especializadas encontrará una amplia variedad de materiales, pero también es muy importante que tenga en cuenta las necesidades concretas de cada especie (ver descripción de especies, página 22 y siguientes).
A su nueva mascota le encantará excavar, trepar e investigarlo todo con la vista y el olfato. Por lo tanto, en una superficie plana puede crearle un interesante circuito en forma de ocho que rodee una elevación del terreno y un grupo de plantas.

SUGERENCIA

Un sustrato ideal

Para preparar un sustrato adecuado para terrarios de ambiente estepario, como por ejemplo para la tortuga rusa; puede emplear limos o arcilla (de venta en almacenes de material para la construcción). Una vez endurecido y liso resulta fácil conservarlo limpio. Recuerde que la hembra necesitará una esquina húmeda y profunda con una mezcla de tierra de bosque y arena (ver página 36).

Sustrato: Ha de poder retener tanto el calor como la humedad y contar con zonas ásperas en las que la tortuga pueda desgastar sus uñas de forma natural. Va muy bien la mezcla de tierra de castaño con corteza triturada, ya que así retiene muy bien la humedad. Además, al animal no le pasará nada si de vez en cuando come un poco (ver página 18).

Escondrijos: La tortuga necesita un refugio en el que poder retirarse siempre que lo desee. Sitúelo bajo raíces y piedras, de modo que también le sirva para los períodos de reposo.

Confort adicional: Además de todos estos elementos, las tortugas terrestres necesitan que la superficie libre del terrario cuente

Por muy detalladas que sean estas descripciones, nada podrá sustituir a **su imaginación y su sentido práctico** a la hora de acondicionar la instalación de la tortuga

Cubeta con agua: Es imprescindible para todas las especies, y su tamaño deberá estar en consonancia con el de la tortuga: el agua le llegará hasta ligeramente por encima del plastrón. Es importante que los bordes sean planos para que las crías también puedan entrar y salir con facilidad. Si el terrario está en una habitación sin calefacción y la temperatura ambiental es inferior a los 18 °C, entonces habrá que colocar una esterilla calefactora bajo la cubeta del agua y conectarle un termostato para mantener una temperatura mínima de 18 a 20 °C. No hay que calentarla más, ya que si los animales necesitan calor se colocarán bajo la lámpara calefactora (ver página 41).

Losas de arenisca: Para facilitar a la tortuga la entrada y salida del agua es necesario «pavimentar» la orilla con una losa plana de arenisca, que al mismo tiempo servirá para que la tortuga desgaste sus uñas al caminar sobre ella. Además, la piedra evitará que el agua se ensucie con la tierra del terrario. Si la losa es mayor que la tortuga también se podrá utilizar para ponerle la comida sobre ella.

con un gradiente térmico que vaya desde la temperatura ambiental de la habitación (18-20 °C) hasta unos 36 °C (lugar para tomar el sol). Ver página 39. También es necesario que en una de las esquinas haya un sustrato blando y húmedo en el que puedan cavar a sus anchas.

Acuaterrario para tortugas palustres

Entre las tortugas acuáticas encontramos algunas especies palustres que pasan mucho tiempo en tierra firme. Dado que también buscan su alimento en tierra, será necesario que su instalación cuente con una gran zona terrestre además de la acuática. Lo ideal es emplear acuarios de vidrio unido con silicona.

Algunas especies, como *Terrapene carolina*, necesitan una gran zona terrestre desde el principio, mientras que otras especies permanecen generalmente en el agua cuando son juveniles y no salen con frecuencia a tierra hasta que llegan a adultas. Entre estas se

◀ 1 **Las cuerdas de cáñamo** de 3 a 5 cm de diámetro pueden ser útiles para que las tortugas acuáticas se encaramen a ellas. Las cuerdas más finas son peligrosas porque tienden a enrollarse.

Las plantas acuáticas robustas toleran bastante bien la acción de las tortugas. Así el acuario conserva una decoración natural y los animales pueden ocultarse cuando lo deseen. 2 ▶

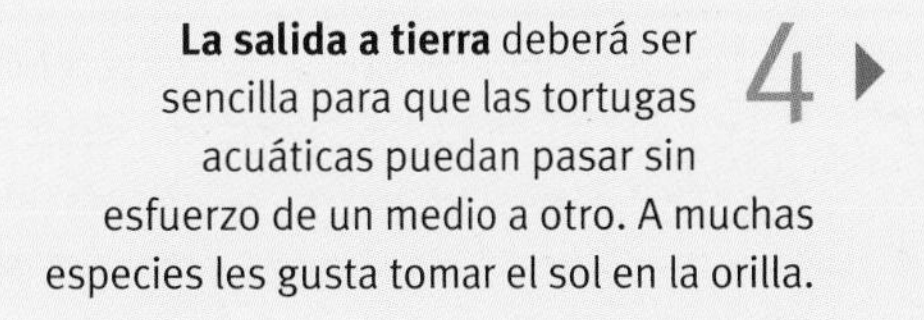

◀ 3 **Las raíces de turbera** son un importante elemento decorativo, pero hay que colocarlas de forma que la tortuga no pueda quedar atrapada. Las raíces grandes son útiles para tortugas vegetarianas que necesitan refugios más sólidos.

La salida a tierra deberá ser sencilla para que las tortugas acuáticas puedan pasar sin esfuerzo de un medio a otro. A muchas especies les gusta tomar el sol en la orilla. 4 ▶

MI MASCOTA

¿Cuáles son las temperaturas que prefiere su tortuga?

Lo averiguará mediante el gradiente térmico. Según su actividad, la tortuga preferirá una temperatura u otra. Este test le servirá para saber cuáles son sus preferencias.

Empieza la prueba:

Desde que la tortuga se despierte hasta que se vaya a dormir, ofrézcale un gradiente térmico en el terrario a base de lámparas calefactoras (ver ilustración de la página 39). Mida a lo largo del día las temperaturas de sus lugares favoritos y anote el tiempo que pasa en todos aquellos en los que pase más de tres a cinco minutos. Repita la prueba dos o tres veces a intervalos de tres a cuatro días para descartar resultados casuales. Corrija las temperaturas si es necesario.

Mis resultados:

cuentan *Cuora flavomarginata* y *Chinemys reevesii.* Lo mejor será que antes de hacer nada se informe de las necesidades concretas de cada especie (ver página 22 y siguientes).

Acondicionamiento de la parte terrestre: Coloque la tierra directamente sobre el fondo de vidrio. Según las especies necesitará de 15 a 23 cm de sustrato y unos 3 cm de agua. Empleando silicona de uso acuarístico, pegue una tira de vidrio que sea unos 3 ó 4 cm más alta que el nivel previsto para el agua.

Acuaterrario para tortugas acuáticas

El acuaterrario para estas tortugas no es otra cosa que un acuario con el nivel del agua algo más bajo. En él se pueden alojar especies anfibias tales como *Clemmys guttata, Emys orbicularis,* y otras (ver descripción de especies, página 22 y siguientes). El nivel del agua deberá estar en consonancia con las necesidades de cada especie. Si su tortuga más que nadar lo que hace es caminar por el fondo (como sucede en las de los géneros *Kinosternon, Siebenrockiella, Sternotherus*) entonces será necesario que puedan acceder a la superficie en cualquier momento sin tener que nadar. Proporcióneles rocas y troncos por los que puedan trepar y cubra el fondo con una capa de arena de río de 1 a 2 cm de espesor.

Acondicionamiento

Para las tortugas pequeñas y trepadoras de

los géneros *Kinosternon, Siebenrockiella* y *Sternotherus* es aconsejable colocar una corteza de corcho transversalmente delante de la zona terrestre. Se fija horizontalmente entre los vidrios delantero y posterior y se sujeta con cordel o alambre a la parte terrestre para evitar que se deslice. Emergerá un tercio sobre la superficie para que quede una cámara de aire y penetrará lo suficiente en el agua como para que las tortugas puedan salir fácilmente del medio acuático y esconderse en su interior, donde podrán respirar cómodamente. Para que cuenten con una buena ventilación es recomendable hacer en el corcho de tres a cinco orificios de aproximadamente 1cm de diámetro.

Nivel del agua

En las descripciones de especies (ver página 22 y siguientes) se indican unas líneas generales basadas en el ancho del caparazón. En la instalación deberá haber zonas en las que la profundidad del agua sea superior a la amplitud del caparazón de la tortuga, para que si esta se diese accidentalmente la vuelta pudiese recuperar la posición normal pataleando con fuerza y no llegase a ahogarse. Las crías de las «malas nadadoras» (ver descripción de especies, página 22 y siguientes) es recomendable que dispongan de una orilla plana. Para conseguirlo basta con colocar el acuario sobre una tabla inclinada y de modo que el nivel de la zona más profunda, en la que estará la toma del filtro, no supere los 5-7 cm.

Plantas

Las especies estrictamente carnívoras (ver tabla, página 71) no estropean las plantas acuáticas robustas tales como elodea y *Ceratopteris* a menos que se aburran mucho. En

Gradiente térmico: Es importante que en el suelo del terrario se den diferentes temperaturas y grados de humedad para que la tortuga pueda elegir el que más le convenga en cada momento.

la zona terrestre se puede añadir una nota de verde colocando plantas trepadoras tales como *Ficus pumila* o bien helechos y filodendros que cuelguen desde el canto superior del terrario proporcionando algo de cobertura. Cuando las tortugas están en tierra les gusta esconderse entre las raíces y las matas.

Acuario para tortugas acuáticas

Las tortugas que son buenas nadadoras serán más felices en un acuario con el nivel del agua lo más alto posible y con mucho espacio libre para nadar. La instalación será similar a la del acuaterrario, pero es preferible que la zona acuática sea alargada y profunda para que puedan nadar mejor. Pero asegúrese de que la tortuga no pueda llegar al canto superior, ya que de lo contrario se escaparía.

Escondrijos seguros: Las buenas nadadoras no sólo necesitan mucho espacio libre para nadar, sino también un refugio que las oculte desde arriba. Generalmente emplean para ello la parte terrestre colgante. También podemos colocar algún tronco flotante en la superficie y algunas hojas secas grandes que les ofrezcan cobijo.

Lugar para tomar el sol: Una buena opción es colocar en el agua un tronco que emerja debajo de una lámpara calefactora. Es importante que las tortugas puedan saltar del tronco al agua cuando lo deseen y sin riesgo alguno.

Parte terrestre del acuario o acuaterrario

Todas las tortugas necesitan que haya una zona terrestre. En los acuarios y acuaterrarios suele situarse colgada sobre la superficie del agua para que dispongan de más espacio para nadar. No pasa nada si penetra de 3 a 5 cm en la parte acuática, siempre y cuando la tortuga no pueda quedar enganchada. El acceso a la parte terrestre, la rampa, ha de ser llano y seguro. Construya la parte terrestre con placas de metacrilato de 3 mm –dejando un espacio de 2 a 3 mm hasta los vidrios– y sujétela al marco superior con dos soportes de acero inoxidable o de aluminio. Coloque una tira de gomaespuma en la zona de apoyo en el canto superior del vidrio.

La zona terrestre servirá para tomar el sol y, llegado el momento, para desovar. Ha de contar con unas paredes laterales lo suficientemente altas como para que la tortuga solamente pueda salir en dirección al agua, de lo contrario podría fugarse de la instalación. La zona emergida se rellena con una mezcla de arena y tierra de castaño a partes iguales que se mantendrá permanentemente húmeda. La rampa o la zona terrestre se calentará a 40 °C mediante una lámpara direccional (ver ilustración de la página 43) a menos que en la descripción de la especie se indique lo contrario.

SUGERENCIA

Parte terrestre del tamaño adecuado

La longitud de la zona terrestre deberá ser por lo menos el doble o el triple de la del caparazón de la tortuga adulta. El animal ha de poder darse la vuelta sin dificultad y también tiene que poder situarse de modo que reciba lateralmente el calor de la lámpara. El grosor de la capa de tierra será equivalente a la longitud del caparazón de la tortuga.

Recursos técnicos

Las dimensiones y la decoración de la instalación son solamente una parte del ema que nos ocupa. También es muy importante contar con unos medios técnicos decuados a las necesidades específicas de la tortuga.

UNA INSTALACIÓN TÉCNICA de buena calidad no es precisamente barata. Pero no se asuste por el coste inicial. Si intenta ahorrar comprando aparatos baratos, acabará pagando el doble cuando estos le fallen y tenga que sustituirlos. Lea también artículos en revistas especializadas.

Temperatura

Las temperaturas regulan el bienestar y la actividad de la tortuga. Tenga muy en cuenta los consejos de esta guía.

Temperatura del agua: Lo más cómodo es controlarla mediante un calentador provisto de termostato incluido en el filtro exterior (ver ilustración de la página 43). También se pueden emplear calentadores de uso acuarístico protegidos por una malla resistente.

Temperatura del aire: Proporcione un gradiente térmico al terrario durante el día (ver página 39). En el caso de las tortugas acuáticas, cuide de que el aire nunca esté más frío que el agua, cosa que suele suceder cuando se dan corrientes de aire. Por la noche apague la iluminación y las lámparas calefactoras.

Termómetro: Emplee un termómetro de laboratorio (0-60 °C) o un termómetro digital para poder controlar en cualquier momento la temperatura de la instalación (ver ilustración de la página 43).

Luz

La iluminación es especialmente importante si su tortuga pasa todo el año en un terrario dentro de casa y no dispone de instalación al aire libre.

- Tubos fluorescentes del tipo «luz de día»: son necesarios cuando no se dispone de luz natural (por ejemplo, si el terrario está en un sótano). Proporcionan la «luz de base» –también para las plantas– y se controlan mediante un temporizador. El fotoperíodo deberá irse adaptando a la duración real del día.
- Lámpara direccional: Siempre es necesaria como fuente adicional de luz y de calor. Deberá estar conectada durante el tiempo de actividad de la tortuga y se controlará mediante un temporizador. A

Mediante piedras planas pegadas con silicona de uso acuarístico pueden realizarse construcciones de aspecto muy natural para que la tortuga entre y salga del agua.

1 m de distancia, una lámpara de 100 vatios y un ángulo de campo de diez grados proyecta una mancha de luz de 17 cm de diámetro pero con una intensidad lumínica de 10.000 lux. Si la lámpara va a estar algo más baja, será suficiente con emplear una de 60 vatios.
Sin embargo, el cono de luz será menor. El foco actúa principalmente como fuente de calor, aunque muchas veces también es suficiente como fuente de iluminación para tortugas palustres (*Sternotherus, Kinosternon*).

La radiación UV-B procedente del sol penetra un poco en **el agua.** A 20 cm de profundidad el 50% de esa radiación todavía puede llegar a las tortugas que están en el agua.

- Lámparas UV: También son imprescindibles para animales que estén todo el año dentro de casa. Durante el primer tiempo de actividad diaria deberá estar encendida unos 20 minutos a una distancia de 80 cm, y otros 10 minutos durante las últimas horas de actividad diaria. Todo ello se controlará mediante un programador o temporizador. La radiación UV es de vital importancia para el desarrollo óseo y para conseguir un caparazón sano. A las tortugas de costumbres crepusculares también les gusta tomar el sol durante las primeras y últimas horas del día. Por experiencia propia sólo puedo recomendar un tipo de lámpara: la Ultra-Vitalux 300W de Osram (de las empleadas para broncearse) o modelos idénticos de otros fabricantes tales como Philips y Sylvania. En otros tipos de lámparas, como las HQL y las de radiación mixta, es imposible calcular la intensidad y distribución de la radiación UV que emiten.
- Lámparas de halogenuros metálicos: sirven principalmente para cubrir las necesidades de iluminación de las tortugas ornamentales (*Emydura, Emys*) y terrestres que viven dentro de casa durante todo el año. Hay lámparas de cuarzo, de cerámica y de vapor de mercurio. Las de cuarzo (150 W) proporcionan 13.000 lumen, por lo que se aproximan mucho a la luz diurna natural. Las de vapor de mercurio (125 W) proporcionan 6200 lumen. Es necesario alterar la intensidad de la luz en función de las estaciones del año. Cuelgue la lámpara a 80 cm sobre la instalación durante el verano, y súbala bastante más (hasta 1,5 m) en primavera y otoño.

Filtro

Adquiera un filtro exterior hermético con calentador incorporado y cuyo volumen sea de 12 a 18 litros. Así conseguirá un buen volumen útil aunque la cantidad de agua a filtrar sea reducida. La bomba deberá tener un caudal aproximado de 600 l/h. Gradúela según las instrucciones del fabricante hasta conseguir una circulación del agua equivalente a una vez el volumen del acuario cada hora. La toma de agua en el acuario deberá estar protegida por una rejilla. Le recomiendo que realice un orificio de desagüe en el vidrio del fondo del acuario y que le conecte una grifería comercial. Así no sólo optimizará la circulación del agua hacia el filtro, sino que luego le resultará mucho más sencillo efectuar los cambios de agua o vaciar el acuario.

Aparatos necesarios para la instalación

ɔco direccional

ɜ caracteriza por su larga ıración. También hay ɒodelos para un tipo de ıminación puntual con un ıgulo de campo muy ducido. Se emplean en ɒmbinación con la lámpara V (a la derecha).

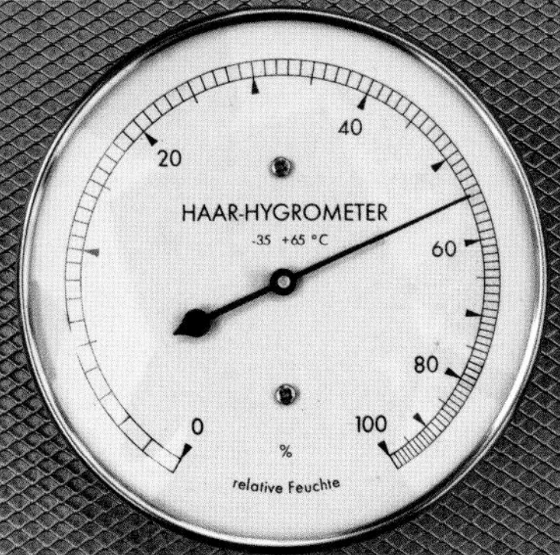

Termómetro

El modelo digital (izquierda) se comercializa también combinado con un higrómetro y funciona con pilas. El higrómetro de cabello (derecha) es sumamente preciso y no necesita pilas.

emporizador

xisten modelos mecánicos zquierda) y electrónicos (sin ɔto). Se pueden programar ara encender y apagar paratos varias veces al día. A derecha vemos un filtro xterior de uso acuarístico ɔn calentador-termostato ıcorporado

Instalación al aire libre

No hay técnica que pueda sustituir una instalación al aire libre. La luz solar natura[l], los estímulos del medio ambiente y las posibilidades de nadar y trepar aumentan notablemente la vitalidad de las tortugas y son prácticamente irreproducibles en un terrario dentro de casa.

EN EUROPA CENTRAL, las instalaciones al aire libre solamente se pueden emplear de junio a agosto, o quizás dos o tres meses más si cuentan con un invernadero, pero en los países meridionales su utilidad se puede extender a prácticamente todo el año. Siga las recomendaciones que indicamos en la descripción de cada especie (ver página 22 y siguientes).

Instalación en el jardín

Fíjese bien en las ilustraciones de la página 45 imagine cómo podría adaptar esas instalaciones a su jardín. Siga el curso del sol a lo largo del año y coloque la instalación en un lugar en el que reciba tanto sol como sea posible, especialmente por la mañana. Delimite el perímetro con una cinta de plástico o con un cordel y observe –a ser posible durante medio año– si se proyectan sombras de árboles o edificios. También puede hacer un cercado y un refugio provisionales para que luego puedan trasladarse o modificarse con poco esfuerzo. Así comprobará rápidamente si su tortuga parece sentirse a gusto o no. En caso de que sí, construya la instalación definitiva. De todos modos, es muy probable que necesite incluir una lámpara calefactora para los días fríos. Así conseguirá que sus tortugas se muestren más activas y vivaces. A menos que en la instalación incluya un pequeño invernadero (ver página 49 y siguiente), a principios de primavera y de otoño deberá mantener dentro de casa a aquellas tortugas que no estén hibernando.

Instalación al aire libre con arbustos frutales

Deje que en el suelo del cercado crezcan la hierba y las plantas silvestres (diente de león, pamplina) y plante también algunos arbustos frutales (frambueso, grosellero negro y rojo, zarzamora, espino albar y pequeñas matas de enebro) cuyos frutos maduros irán cayendo hasta bien entrado el otoño. A las tortugas les encantará encontrarlos. Además, estos arbustos proporcionan sombra a las tortugas terrestres en los días calurosos del verano. Si en el suelo se acumulan demasiados frutos será mejor que retire diariamente los que sobran. Las bayas podrían enmohecerse o fermentar y producir una intoxicación alcohólica a la tortuga.

Montículo de compost como fuente de alimento

Para las tortugas palustres que salen mucho a tierra (*Cuora, Chinemys*) es aconsejable hacer un pequeño montículo de compost en un rincón sombreado del cercado. Rodéelo con trozos de madera natural sin tratar bajo los cuales proliferará una abundante fauna formada por cochinillas, lombrices, coleópteros y miríapodos. Su tortuga no tardará en descubrirlo y acudirá para darles caza. Cuando no salga del agua, échele algunas de estas presas para que las consuma allí.

Instalación para tortugas terrestres

Cuanto más amplia sea su instalación exterior, mejor podrá integrarla en el jardín. Eso se debe a que entonces podrá emplear arbustos para camuflar las vallas y el invernadero, a la vez que tendrá la posibilidad de organizar su interior de una forma más natural. Para dos tortugas bastarán 25 m². La instalación deberá tener unas dimensiones mínimas de 3 × 1,2 m. Si es más pequeña, la hierba y las plantas acabarán sufriendo mucho desgaste. El suelo del cercado estará unos 30 cm por debajo del nivel del jardín, y en el centro se colocará un montículo que las tortugas aprovecharán para tomar el sol y para desovar. Además, en caso de que llueva mucho le permitirá ponerse a salvo de las aguas. En el punto más bajo habrá un desagüe para que el agua de la lluvia salga hacia el jardín.

La valla estará formada por una empalizada de madera tratada para exteriores o por placas de cemento. En los almacenes de materiales para la construcción le suministrarán todos estos materiales y además le indicarán el mejor modo de colocarlos. Generalmente bastará con que tenga unos 40 cm de altura.

1 **Una instalación exterior** para tortugas terrestres solamente estará completa si ıenta con un pequeño invernadero y una mpara calefactora. Así la tortuga podrá fugiarse en caso de que el tiempo refresque pentinamente.

2 **El estanque** y su correspondiente invernadero constituyen un medio idóneo para las tortugas acuáticas. La orilla ancha y con una suave pendiente se calienta con facilidad y aguanta muy bien la temperatura, especialmente si cuenta con el apoyo de una calefacción solar.

Para soportar los días en que refresquen un poco las temperaturas, instale en el **invernadero una lámpara calefactora** (60-80 W) que pueda calentar el suelo a unos 40 °C.

Las tortugas nunca deberán poder alcanzar el canto superior con sus extremidades delanteras, ni siquiera subiéndose a un tronco o a otra tortuga. Para evitar que se fuguen excavando una madriguera habrá que colocar unos cimientos a 50 cm de profundidad o hundir mucho la valla en el suelo. Si sus tortugas miden menos de 10 cm y pesan bastante poco, deberá cubrir la instalación con una malla, para evitar que sean presa de las urracas, grajas o rapaces. Las tortugas deberán pasar la noche en el invernadero para estar a salvo de las ratas.

Estanque de jardín para tortugas acuáticas

Aquí rigen unas premisas un poco diferentes de las del habitual estanque de jardín, tanto por lo que hace a la ubicación –preferiblemente en un lugar expuesto al sol durante todo el día– como a la forma. Yo le sugiero mi diseño en forma de «sombrero», con un borde muy amplio y una zona profunda central. Es el que mejor satisface la necesidad de agua caliente de las tortugas. Si es necesario, también se puede incluir calefacción solar.

Distribución ideal del estanque: Si dispone de suficiente espacio, lo mejor será que lo haga de 6 m de diámetro; pero si no hay más remedio también puede ser menor. La orilla poco profunda tendrá una amplitud de 2 m, y en el centro habrá una zona de 1m de profundidad y 2 m de diámetro. Eso nos da un volumen total de aproximadamente 5,6 m^2, de los que unos 4 m^2 corresponden a las orillas que se calentarán rápidamente con el sol. La inclinación de la orilla hacia el centro será de unos siete grados, y a partir de ahí el descenso hacia el centro del estanque será mucho más pronunciado (45 a 50 grados). Emplee lona para estanques, ya que así le resultará más fácil darle forma, y deje tranquilamente la lona negra al descubierto. Así se calentará más con el sol. En el centro puede plantar juncos o nenúfares en una cubeta con arena. Decore las orillas con troncos recogidos en algún río para que las tortugas suban a ellos para tomar el sol.

Filtraje: Si en una instalación de estas características solamente hay dos o tres tortugas no hace falta emplear ningún filtro, ya que los restos orgánicos que puedan dejar en el

Con trozos de corteza de corcho pueden hacerse muy buenos escondrijos para las tortugas, pero si se toman las medidas demasiado justas no tardarán en quedar pequeños.

agua serán asimilados por algas y plantas acuáticas. En todo caso, lo que puede hacer es tomar agua de la zona más profunda (que es a donde van a parar la mayoría de los detritos) y bombearla para regar el jardín reponiéndola luego con agua nueva (cambio parcial del agua). Si se decide por el empleo de un filtro para estanques, elija un modelo cuya bomba tenga un caudal de 250 a 500 litros por hora. Coloque la toma de agua en el punto más profundo y hágala regresar por la orilla. El agua que regresa del filtro puede hacerla pasar por un tubo de plástico negro que forme una espiral sobre una plancha de chapa ondulada a la que le dé el sol durante todo el día. Así el agua regresará al estanque caliente incluso en días cubiertos (principio de la calefacción solar).

Evitar fugas: El estanque de la instalación al aire libre debe ser tan a prueba de fugas como la instalación para tortugas terrestres. Sitúe el nivel de la superficie del estanque a unos 40 cm por debejo del nivel del jardín, o amontone tierra contra la valla para que ésta no sea tan evidente.

Si es necesario, proteja el estanque colocando a su alrededor una valla de jardín. Así impedirá que se acerquen los animales domésticos (perro o gato) o que se pueda caer algún niño pequeño, con el peligro de ahogamiento que ello implica.

Invernadero

Coloque un pequeño invernadero a base de paneles de metacrilato (los venden en los centros de jardinería) en la parte más elevada de la instalación y bien expuesto al sol. Acumulará suficiente calor («efecto invernadero») incluso durante los períodos de mal tiempo.

Para permitir el paso de las tortugas terrestres habrá que montarle una puerta oscilante del tipo gatera. Colóquela de forma que la tortuga penetre por sí misma cuando se desplace siguiendo el borde de la instalación. Las tortugas acuáticas no necesitan trampilla, ya que entrarán en el invernadero direc-

¿SABÍA USTED QUE...

... en Europa Central muere cada año un gran número de tortugas acuáticas exóticas?

Y solamente por el hecho de que nos empeñamos en hacerlas hibernar en nuestros estanques. Se despiertan con los primeros calores del mes de marzo y empiezan a comer, pero los descensos de temperatura que se siguen dando hasta entrado el mes de mayo les impiden digerir lo que han consumido. Los alimentos se descomponen en el tracto intestinal. Eso junto con las neumonías y la imposibilidad de alcanzar la temperatura corporal que necesitan, es lo que acaba causándoles la muerte.

Un buen resultado con po esfuerzo: La instalación d terraza permite que su tor tuga disfrute del aire libre los baños de sol.

tamente desde el agua. Sitúelo de forma que una cuarta parte avance hacia el agua y la pared penetre unos 4 cm en esta para evitar que se produzcan corrientes de aire (ver ilustración 2 de la página 45).

Instalación exterior para terraza o balcón

¿Que no tiene jardín pero dispone de una terraza o un balcón bien soleado? Pués ahí también puede ofrecerle un espacio al aire libre a su tortuga. Ajuste sus medidas y su acondicionamiento a la biología de la tortuga como si se tratase de un terrario para dentro de casa. La única diferencia es que aquí no hará falta colocar un sistema de iluminación (ver dibujo de arriba).

Instalación para tortugas terrestres

Plantéese el conjunto como si fuese un pequeño invernadero con plantas transformado en terrario. Colóquelo en su balcón o terraza de modo que cuando el sol esté bajo también pueda penetrar por el techo inclinado del invernadero y llegar hasta el suelo del cercado. El cuerpo principal del invernadero contará con un recubrimiento externo de madera, preferiblemente a base de listones para vallas de jardin tratadas en autoclave.

Relleno: Empiece por llenar la caja con una capa de bolitas de arcilla (de venta en centros de jardinería) de unos 20 cm de espesor, seguida de otra capa de tierra de jardín o de castaño. Entre la arcilla y la tierra deberá colocar una malla fina como la que se emplea debajo de la lona para hacer estanques. Así se evita que si una tortuga excava en la tierra pueda llegar hasta las bolitas de arcilla, que actúan como reserva de humedad y la aportan a la tierra por capilaridad. No ponga demasiada tierra para evitar que la tortuga pueda llegar a fugarse. Para que la madera no llegue a pudrirse es mejor forrar la caja por dentro con lona impermeable para estanques antes de llenarla. Con un cuchillo para el pan, haga un par de agujeros en la lona de la base para que pueda drenar el agua sobrante.

Techo: El conjunto se cubre con dos planchas de metacrilato sujetas a un bastidor, que deberán tener una cierta inclinación para que el agua de la lluvia pueda pasar sobre ellas sin obstáculos. Para ello hay que cortar de forma oblicua los laterales de la caja, de forma que la parte delantera quede unos 10 ó 15 cm más baja que la trasera. Cuando hace sol se levanta el techo para que pueda penetrar bien en la instalación, y si hace frío se vuelve a colocar. También puede hacer que el techo esté accionado por un motor regulado por un termostato regulable, que es lo que se hace en los invernaderos pequeños. Le resultará muy útil durante sus ausencias. En la madera hay que hacer algunos orificios de unos 2 cm de diámetro para garantizar la ventilación del interior en el caso de que el techo permanezca cerrado durante varios días. De todos modos, cuando el techo esté cerrado es conveniente echar un vistazo al termómetro de vez en cuando. Si se cubre con una esterilla la placa del techo bajo la que suela descansar la tortuga, se la protegerá del exceso de calor a la vez que se le proporciona una mayor tranquilidad. Como medida de seguridad, es recomendable tapar con tablas cualquier grieta o rendija que pueda haber entre la instalación de las tortugas y el pavimento del balcón. Así, si alguna tortuga llegase a fugarse no se caería del balcón.

Corrientes de aire: Un problema que no se suele tener en cuenta son las corrientes de aire que se dan en los balcones altos. Y se producen incluso cuando el aire está quieto a ras del suelo del balcón. En estos casos, coloque un paraviento para proteger la instalación.

Plantas en la instalación de balcón: Según las características de la instalación de balcón para tortugas, lo más probable será que en ella no se puedan colocar plantas que superen los 20-30 cm de altura. Por lo tanto, si desea incluir pequeños arbustos frutales lo mejor será que los plante en macetas y los coloque junto a la instalación, de modo que las ramas se inclinen hacia ella y los frutos puedan caer en su interior. A las tortugas les encantarán.

Instalación para tortugas acuáticas

En principio la instalación es igual que para las tortugas terrestres. Para conseguir un estanque para sus tortugas acuáticas, emplee una cubeta grande de plástico o un pequeño estanque prefabricado. Establezca la profundidad y el acondicionamiento interior como para el acuario de dentro de casa. La toma del filtro y el vaciado del estanque se realizarán mediante una válvula de desagüe como la que describimos para el acuario (ver página 42). Esto tiene la ventaja de que ahora también podrá emplear el filtro en el balcón. El material filtrante seguirá siendo el mismo. Ya ha efectuado su rodaje y puede seguir funcionando. Plante y decore la instalación como en el acuario.

Invernaderos

En los últimos 30 años han aumentado drásticamente nuestros conocimientos so-

SUGERENCIA

Material filtrante eficaz

Yo he obtenido siempre muy buenos resultados combinando esponjas filtrantes de poro fino y 4 cm de espesor, con otras del mismo material pero de poro más grueso. Este material (de venta en tiendas de acuarios) es un sustrato ideal para las colonias bacterianas encargadas de descomponer los detritos orgánicos presentes en el agua. Hay que lavarlas con agua fría cada 14 días, las de poro muy grueso bastará con lavarlas cada 2 ó 3 meses.

El invernadero: cómodo para usted y práctico para la tortuga.

bre las necesidades de las tortugas que viven en cautividad. Consecuencia: una tortuga bien mantenida disfrutará de una calidad de vida similar a la que encuentra en su medio natural.

Para ello lo mejor es emplear un pequeño invernadero (ver ilustración de arriba). Un ejemplo: en Grecia las tortugas ya están activas en febrero y empiezan a aparearse. Y a principios de diciembre todavía se las puede encontrar por el campo. Es decir, les basta con hibernar de dos a tres meses. Pero en Europa Central es fácil que su hibernación se prolongue durante medio año (desde noviembre hasta principios de abril), por lo que dura tres o cuatro meses más. A la tortuga esto no le hace ningún daño, pero con un invernadero se podría prolongar su período de actividad.

Así se hace: En Europa Central es frecuente que durante el verano llueva mucho y se produzcan descensos bruscos de las temperaturas con caídas de hasta 20 °C (por ejemplo, pasando de 30 a 10 °C). La temperatura media en Europa Central durante los meses de mayo y junio es de 10 °C, mientras que en Grecia es del doble: 20 °C y sin lluvia. Por lo tanto, nuestros veranos son demasiado fríos y demasiado húmedos si los comparamos con los de los lugares de origen de la mayoría de las tortugas. Un invernadero nos ayudará a compensar esas diferencias y proporcionará a las tortugas un clima casi como el de Grecia. Además, los animales podrán penetrar en su refugio de hibernación cuando lo deseen y permanecer en él hasta finales de febrero. Esto se debe a que el interior del invernadero se calienta al sol durante los meses más fríos del año («efecto invernadero») creandose un microclima en su interior. Una pequeña salida, provista de una puerta oscilante, les permitirá hacer breves excursiones al exterior en los días soleados de marzo o abril.

Regulación de las condiciones climáticas: Da igual que usted emplee un invernadero por completo o solamente una parte apoyada contra una pared, el recinto necesita ventilación y posibilidad de tener sombra. En los invernaderos de pared, la pared de la casa ayuda a ahorrar energía ya que conserva muy bien el calor, además es más fácil pasar las conducciones de calefacción, agua y electricidad desde la casa. Lo ideal es situarlo junto a una pared orientada hacia el este, ya que así se evita un exceso de radiación solar. Las paredes del invernadero no son de vidrio sino de placas dobles de policarbonato, que no deja pasar la radiación UV-B. Pero tam-

poco hace falta, ya que las tortugas recibirán suficientes UV cuando estén al aire libre.
Las placas dobles de policarbonato son un buen aislante térmico, por lo que habrá que instalar un mecanismo automático (con termostato y sistemas neumáticos) que se encargue de abrir la ventilación del techo para evitar el exceso de calor.
Al construir un invernadero hay que contar con medios técnicos para controlar la luz y la temperatura en el interior del recinto. Generalmente se emplean unas persianas laminares externas que protegen del sol y del calor a la vez que bloquean un 70 % de la luz. Las persianas o cortinas interiores son mucho más baratas y filtran aproximadamente el 50 % de la luz, pero el calor se queda dentro del invernadero. Una solución económica y a la vez eficaz consiste en rodear el invernadero de árboles que pierdan las hojas en otoño. Así el invernadero tendrá sombra en verano y se calentará al sol en primavera.
Como dimensiones mínimas recomiendo 2 × 2 m con una altura de 2 m para poder estar cómodamente de pie en su interior. En algunos lugares, para construir un invernadero con un volumen interior superior a los 10 m^2 es necesario solicitar un permiso de obras.
¿Qué especies? En un invernadero se pueden mantener desde primavera hasta finales de verano incluso tortugas tan amantes del calor como la tortuga de las grietas, la tortuga de caja o la tortuga estrellada de la India. En los días muy calurosos, si emplea un pulverizador de agua podrá conseguir un microclima que permita salir brevemente al exterior a especies tales como la tortuga de caja de Carolina, la tortuga de borde amarillo o la tortuga estrellada de la India.

1 **La tortuga de las grietas** es capaz de trepar por paredes rocosas casi verticales. n el terrario hay que colocarle rocas para que ueda trepar por ellas y se mantenga en forma, ero sin que nunca llegue a escaparse de la ıstalación.

2 **La tierra de castaño y la corteza triturada** retienen la humedad, aislan el suelo del frío y no producen oclusión intestinal si la tortuga a veces come un poco de sustrato.

Cuestiones sobre su alojamiento

? Nuestro frutal tiene algunas ramas viejas que hay que podar. ¿Podemos emplearlas para que la tortuga trepe por ellas en el acuario?
En principio, en su acuario puede sumergir cualquier tipo de madera. Pero con una condición: debe estar limpia y sin restos de savia.
Primero quítele la corteza y luego déjela sumergida en un arroyo o en un estanque hasta que ya no tenga restos de moho ni ninguna suciedad en su superficie. Una rama del grosor de un brazo tendrá que permanecer en remojo durante unos tres o cuatro meses. Luego ya podrá trasladarla al acuario.
No son tan duraderas como las raíces de turbera, pero si permanecen siempre bajo el agua y sin contacto con el aire duran de tres a cinco años. Su superficie se va desgastando progresivamente.

? Nuestro jardín tiene una valla a prueba de fugas, por lo que en verano soltamos a nuestra tortuga terrestre. Le gusta acercarse al estanque para beber, pero me da miedo que algún día se caiga dentro. ¿Las tortugas terrestres saben nadar? ¿Sería capaz de salir por sus propios medios?
Las tortugas terrestres suelen ser muy malas nadadoras, por lo que me inclino a contestarle con un no. La mejor forma de evitar que el animal pueda llegar a ahogarse es construyendo una orilla muy ancha y con muy poco desnivel bajo el agua. La mayoría de los accidentes mortales se producen porque el estanque tiene un borde demasiado alto y la tortuga no es capaz de salir a tierra y ponerse a salvo. Si llegase a darse el caso, lo primero que hay que hacer es coger a la tortuga, aguantarla con la cabeza hacia abajo y sacudirla con cuidado para que el agua salga de sus pulmones. Así hemos recuperado a veces tortugas que parecían estar muertas. Luego hay que llevarla al veterinario.

? ¿Por qué no he de colocar a mi tortuga pequeña en el mismo terrario que la adulta? Se llevan bien y comen lo mismo.
¡El problema está en la comida! Las tortugas no ven bien a distancias muy cortas, y si ambas se ponen a comer a la vez en el mismo sitio, podría suceder que la grande mordiese a la pequeña en la cabeza o que incluso se la llegase a arrancar. Y las probabilidades aumentan cuanto mayor sea el entusiasmo de la grande por la comida. Para evitar este tipo de accidentes es mejor mantenerlas por separado.

? Me han recomendado que emplee una lámpara cerámica de infrarrojos para los baños de sol de mi tortuga; dura mucho más que un foco direccional. ¿Puedo usarla?
La tortuga acude a un lugar a calentarse atraída por la luz. Relaciona siempre luz con calor, y entonces va en su busca. Pero, dado que no

puede ver los infrarrojos, desde lejos no sabrá cuándo está encendida la lámpara. Por lo tanto, no resultará muy útil.

? En el acuario de mi pequeña tortuga de Florida he colocado un trozo de corcho para que se suba a tomar el sol. Pero no lo usa nunca. ¿A qué se debe?

Como el corcho flota en la superficie, se mueve en cuanto la tortuga intenta subirse a él. Y eso agota inútilmente al animal. Ofrézcale un soporte estable, como por ejemplo un tronco o una raíz que emerja del fondo, o sujete un trozo de corteza de corcho de modo que quede encajado entre los vidrios delantero y posterior del acuario.

? ¿No es excesivo que el suelo esté a 38-40 °C en el lugar para tomar el sol?

Esa temperatura es la que se da en la naturaleza en un suelo seco y expuesto a pleno sol. Allí la tortuga no se queda mucho rato. Generalmente en las horas de máximo sol busca las zonas de semisombra. Por eso es muy importante que alrededor del «punto caliente» haya suficiente espacio para que la tortuga se coloque en las zonas marginales. Si la tortuga nunca se sitúa en el centro, aumente progresivamente la altura de la lámpara calefactora hasta que vea que a veces también se sitúa en plena zona caliente.

? ¿Mi tortuga acuática puede convivir con peces?

Si su tortuga es de alguna de las especies que no nadan muy bien, podría funcionar –aunque sólo sea en teoría–. La calidad del agua deberá corresponder a la de un acuario, y eso es algo casi imposible de conseguir a menos que su acuario tenga una capacidad de más de 400 litros y mantenga en él a una sola tortuga. Luego hay que tener en cuenta que la temperatura del agua sea la adecuada tanto para los peces como para la tortuga. Los peces necesitarán plantas y escondrijos para poder ponerse a salvo de la tortuga. Resumiendo: no le aconsejo que lo haga.

? A mi tortuga terrestre le gusta mucho corretear por el suelo de la casa. ¿Por qué me dicen que no es aconsejable que lo haga?

El suelo de la instalación al aire libre suele estar más caliente de lo que usted imagina, sobre todo más caliente que el suelo de dentro de casa. E incluso en el caso de que usted tenga la calefacción bajo el suelo existe una gran diferencia: en casa siempre hay corriente de aire a ras de suelo. Y eso es muy perjudicial para las tortugas. Pueden contraer fácilmente una neumonía.

3. Bienvenida a casa

Cuidar de una tortuga siempre resulta bonito e interesante. Pero también puede convertirse en un cúmulo de problemas si no se toman las medidas necesarias antes de comprarla.

Ha de ser una tortuga

Si ha preparado correctamente la instalación para la tortuga no tendrá ningún problema uando esta llegue. Si toma las precauciones necesarias a la hora de comprarla y de ansportarla hasta casa se evitará muchas sorpresas desagradables.

PARA QUE TODO SALGA BIEN, es necesario que antes de comprar la tortuga se informe a fondo sobre el trabajo que esta le va a suponer. Si se le plantean cuestiones muy especiales, acuda a asociaciones o clubs de terrariofília, a organizaciones especializadas en tortugas o a las páginas web de museos e instituciones relacionadas con el tema.

Fíjese a la hora de comprarla

¿Dónde y cuándo comprar? Usted puede comprar su tortuga en una tienda de animales, que generalmente las reciben de criaderos especializados, o acudir directamente a un criador, profesional o privado. Un buen vendedor mantendrá sus tortugas en perfectas condiciones para que se note que reciben la alimentación y los cuidados que necesitan. También deberá poder informarnos acerca de la edad del animal, su procedencia y sus necesidades, así como darnos consejos para su mantenimiento. ¡Póngalo a prueba con preguntas concretas! Naturalmente, si se trata de una especie protegida también deberá poder proporcionar toda la documentación del animal para cumplir con la legislación vigente.

Si todo esto se cumple, usted debería tener la certeza de que adquiere una tortuga sana y que podrá acudir al vendedor si alguna vez necesita consultarle algo.

Comprársela directamente al criador tiene todavía algunas ventajas más: usted verá en directo cómo funcionan sus instalaciones para las tortugas y podrá hacerse una idea del espacio y los medios técnicos necesarios. Y de paso obtendrá el asesoramiento de un experto en el tema.

Advertencia: En muchos centros de acogida de animales le pueden ceder gratuitamente tortugas acuáticas de aquellas especies cuyas hembras alcanzan una talla de 25-30 cm, co-

Un transportín de plástico con un paño de cocina húmedo resulta ideal para transportar ejemplares jóvenes de tortugas acuáticas.

Dándole de comer con la mano le será más fácil observarla de cerca y comprobar su estado de salud.

mo sucede con muchas tortugas pintadas (tortuguitas de Florida). Son ejemplares que fueron abandonados por cuidadores aficionados en cuanto se hicieron demasiado grandes.

¿Cuándo comprar? Lo ideal es comprar la tortuga entre mayo y agosto. La hibernación ya ha quedado atrás y el animal muestra su máxima actividad. Otra ventaja: la tortuga dispondrá de tiempo para adaptarse a su nuevo hogar. Usted podrá comprobar bien su estado de salud antes de la próxima hibernación (en el caso de que hiberne) y dispondrá de tiempo para tratarla si fuese necesario. Si la compra en otoño irá un poco justo de tiempo. Si adquiere la tortuga en marzo o abril, inmediatamente después de salir de la hibernación, no podrá saber si su comportamiento es normal o si ha estado incubando alguna enfermedad durante la hibernación y esta todavía no ha empezado a manifestarse.

Advertencia: No compre nunca una tortuga en un mercadillo o por Internet.

Una buena elección

Por lo que respecta a la especie, ya habrá visto cuáles son las que yo más le recomiendo (ver página 22 y siguientes). Para mí, lo más importante es que se trata de especies que se reproducen habitualmente en Europa. Aunque usted sea principiante, si se deja guiar por estos criterios tenga la seguridad de que estará haciendo una buena elección.

Tortugas nacidas en cautividad: Al comprar una tortuga nacida en cautividad, no sólo contribuye a la protección de la especie en la naturaleza sino que además podrá consultar directamente al criador. Y eso es especialmente importante en el caso de especies cuya área de distribución se extienda mucho de norte a sur, ya que las poblaciones septentrionales viven en un medio más frío que las meridionales y quizás necesiten un período de hibernación. Dado que esto está grabado en sus genes, un animal de estas características deberá poder hibernar también cuando esté en cautividad. Un caso típico en el que se dan estas circunstancias es el de *Cuora flavomarginata* (ver página 30).

Al conseguir su reproducción con éxito, el criador nos demuestra que realmente conoce las necesidades de sus animales y que los mantiene a las temperaturas correctas.

Y los animales nacidos en cautividad todavía tienen otra ventaja: no han sufrido daños durante la captura ni durante el largo viaje desde sus países de origen. Los daños causados por el transporte no siempre son fáciles de reconocer, y el aficionado sólo se da cuenta de ello cuando sus tortugas dejan de comer, se muestran inactivas y necesitan ser tratadas con frecuencia.

¿Tortuga joven, o tortuga adulta?

Las tortugas nacidas en cautividad que se ponen a la venta suelen ser crías o juveniles, y acostumbran a ser bastante delicadas. Es más fácil aclimatar una tortuga adulta o subadulta que ya tenga su esqueleto bien formado. Tampoco hay nada en contra de adquirir o adoptar una tortuga de edad avanzada pero que esté sana y haya sido bien cuidada a lo largo de los años.

¿Macho, hembra, o ambos?

En algunas especies de tortugas acuáticas, los machos alcanzan una talla inferior a la de las hembras. Y esto puede ser una ventaja para usted si no dispone de espacio para un terrario muy grande. Si desea tener varias tortugas, tenga en cuenta que a la larga no podrá mantener junta una pareja ni a dos machos. Sin embargo, en la mayoría de las especies no hay problemas para mantener juntas a dos hembras.

Mi consejo: Como principiante, lo mejor será que empiece con una sola tortuga. No necesita compañía para ser feliz. A medida que vaya ganando experiencia es posible que le apetezca conseguir su reproducción. Entonces le recomiendo que forme un grupo de cría junto con otros aficionados. Eso les ahorrará muchos esfuerzos y gastos a todos.

Cuando empieza con un anuncio

Es posible que cuando inicie la búsqueda de su tortuga y empiece a consultar listas de precios de los proveedores se tope con abreviaciones y expresiones cuyo significado no conoce.

Éstas son las principales:

- 1,0 significa un macho
- 0,2 significa dos hembras
- 1,1 significa una pareja
- juv. significa juvenil o cría
- adulto significa que ya ha alcanzado la madurez sexual
- subadulto: que le falta poco para alcanzar la madurez sexual

¿Macho o hembra?

1 **Generalmente los sexos** se pueden distinguir por la longitud de la cola. A la izquierda vemos un macho con la cola larga, y a la derecha una hembra con la cola corta.

2 **Las extremidades delanteras** de los machos de la tortuga de orejas rojas (a la izquierda) están provistas de unas uñas muy largas que emplean durante el cortejo nupcial. Las uñas de las hembras (derecha) son mucho más cortas.

COMPRUEBE LA SALUD DE SU TORTUGA

	SANA	ENFERMA
Peso	Al sostener una tortuga sana en la mano se nota como si se tuviese un canto rodado.	El animal es mucho más ligero que un canto rodado del mismo tamaño.
Actividad	Las tortugas jóvenes patalean cuando se las coge, mientras que las adultas se retraen en su caparazón (diferentes estrategias de defensa).	La tortuga se muestra apática y deja la cabeza y las extremidades colgando.
Ojos	Claros, limpios y muy abiertos.	Córnea turbia y párpados inflamados.
Tímpano	La membrana timpánica está situada detrás de los ojos y es lisa.	Membrana timpánica abultada hacia fuera.
Aberturas nasales	Sin secreción ni burbujas. El animal no emite sonidos al respirar.	Se observan burbujas en las aberturas nasales, respiración ruidosa.
Cavidad bucal	El interior de la boca es rosado y no presenta coberturas anormales.	Cavidad bucal de color rojo oscuro, se observa una secreción sobre las mucosas.
Extremidades	Patas fuertes y bien formadas.	Extremidades inflamadas o raquíticas.
Cloaca	La piel de la región cloacal está limpia, lisa y sin lesiones.	La región cloacal está inflamada o lesionada.
Caparazón	El caparazón no presenta daños, aunque puede tener alguna cicatriz. El de los juveniles se nota elástico al apretarlo ligeramente.	Las juntas del caparazón son rosadas y están inflamadas. Heridas o agujeros con secreción y mal olor. Caparazón demasiado blando.

Llegada a su nuevo hogar

Para que la tortuga llegue a casa con buen pie hay que transportarla adecuadamente y dedicarle mucha paciencia durante su aclimatación. La fase de cuarentena requiere su tiempo, pero es muy importante para la tortuga.

LLEGÓ EL MOMENTO: Se decidió por una determinada tortuga y ya la ha conseguido.

El Transporte

Durante los meses cálidos del año, tanto en la tienda como en el criadero le proporcionarán un recipiente adecuado para el transporte de la tortuga.

- A las tortugas terrestres y acuáticas subadultas se las coloca en una bolsa de tela que a su vez se introduce en una caja de cartón del tamaño adecuado y acolchada con bolas de papel de periódico para que el animal no vaya de un lado a otro.
- Las tortugas acuáticas juveniles se llevan en pequeños transportines de plástico (de venta en tiendas de animales, ver ilustración de la página 55). En su interior se coloca un paño de fregar mojado. Corte otro paño a trozos de 5 × 5 cm y espárzalos sobre el animal. Así dispondrá de transportín con reserva de agua y su tortuga se sentirá segura al poderse ocultar bajo los trozos del paño. Ya sólo falta colocarle la tapa al transportín y todo estará listo para emprender un viaje de hasta seis horas de duración.

Si la temperatura ambiental es superior o inferior a las indicadas para el mantenimiento de la especie, el vendedor deberá proporcionarle una caja de porexpán para colocar el transportín en su interior. Si es invierno y hace mucho frío, coloque una botella de agua caliente a 30 °C bajo el transportín y envuélvalos a ambos con una manta ligera de lana. La ventilación no será muy buena, pero a mí me ha permitido tranportar animales durante dos horas en un ambiente gélido.

Mi consejo: Conserve el transportín para tenerlo siempre a mano. Le puede resultar muy útil cuando tenga que llevar el animal al veterinario.

¿Conserva la línea? Para comprobar su alimentación es importante pesarla periódicamente.

El terrario de cuarentena para tortugas acuáticas pequeñas que sean malas nadadoras necesita tener una orilla muy llana. Lo más sencillo es colocar el terrario inclinado como se ve en la ilustración.

Período de cuarentena

A primera vista no se nota si una tortuga tiene gusanos o si sufre alguna infección. Y sobre esto tampoco le pueden garantizar nada en la tienda ni en el criadero. Por lo tanto, la única manera de averiguarlo es poniendo al animal en cuarentena.

La instalación de cuarentena

Puede ser tanto un terrario como un acuario que más adelante se use para sacar adelante a las crías, o simplemente una cubeta de plástico negra (como las empleadas para preparar el mortero) de las dimensiones adecuadas. En cualquier caso, su capacidad deberá ser de 60 a 140 litros.

Para su acondicionamiento emplearemos los mismos elementos que para la instalación de interior (ver página 33 y siguientes). Y lo mismo se aplica a los medios técnicos. Si es necesario calentar el agua, se empleará un calentador de uso acuarístico. Durante las dos o tres semanas de cuarentena no es necesario emplear lámpara UV.

A las tortugas terrestres lo primero que hay que hacerles es darles un baño tibio con una solución fisiológica de sal de cocina (9 g de sal por 1 l de agua). Luego pueden pasar al terrario de cuarentena. En este habrá una corteza de corcho para que se escondan y algún tronco para que puedan trepar.

A las tortugas acuáticas se las coloca directamente en el agua del acuaterrario de cuarentena. Para las especies que nadan bien se puede llenar la cubeta hasta la mitad. A las que nadan mal hay que proporcionarles un nivel de agua ligeramente superior a la amplitud de su caparazón y una orilla llana y con poco desnivel. Lo mejor es apoyar el soporte del acuario sobre un listón de madera para que quede inclinado (ver dibujo de arriba).

Cuidados durante la cuarentena

La tortuga deberá permanecer en cuarentena hasta que su veterinario le dé el visto bueno.

Si al principio se muestra tímida y se esconde, deje que se quede en su refugio hasta

que salga por voluntad propia. Retire inmediatamente los restos de alimentos para evitar que se descompongan.
Muestras de excrementos: Es importante tomar muestras de sus excrementos en los días inmediatos a la llegada. Su veterinario le indicará cómo hacerlo y le proporcionará los recipientes adecuados para ello. En el análisis coprológico se puede detectar la presencia de parásitos intestinales que no se ven a simple vista.
A veces los excrementos de las tortugas acuáticas son tan blandos que se deshacen en el agua y es imposible recoger muestras. Traslade el animal a un terrario con un paño húmedo como sustrato y recoja los excrementos en cuanto defeque.

Cómo ganar su confianza

Lo más importante que ha de hacer: dé tiempo a su tortuga. No vaya con prisas, no la fuerce a nada y respete sus períodos de reposo. Manipúlela solamente durante sus horas de actividad.

Acostumbrarla a que la cojan

Para poder reconocer bien a la tortuga es necesario cogerla y levantarla. Acostúmbrela a estos procedimientos dándole unos pedacitos de comida con la mano. El animal pronto relacionará su presencia con la comida y no con una amenaza o un peligro.
Al levantar a la tortuga hay que sujetarla bien, especialmente si es una especie de cue-

MI MASCOTA

¿Dónde prefiere esconderse la tortuga acuática?

A las tortugas les gusta esconderse a mediodía y por la noche en un refugio seguro, pero las preferencias varían de unas especies a otras. ¿Su tortuga acuática prefiere el cieno o los trocitos de gomaespuma?

Empieza la prueba:
A las malas nadadoras (excepto la matamata) colóqueles un largo tubo de corteza de corcho dejando la mitad vacía y la otra mitad llena a medias con cubitos de gomaespuma (de $4 \times 4 \times 4$ cm). Si el tubo de corteza es corto, coloque dos. A las buenas nadadoras póngales tambien una isla (ver página 40) para que elijan. Al principio su tortuga inspeccionará todos los posibles escondrijos, pero al final se decidirá solamente por uno. Ese es el que deberá colocarle en su instalación definitiva.

Mis resultados:

Hacer que los niños sean responsables

A nuestra hija de siete años le hace mucha ilusión su tortuga terrestre. Pero nos preocupa que, llevada por su fascinación, la quiera dejar suelta en la granja de juguete que tiene en el suelo de su habitación. ¿Se le ocurre algo que pueda ser beneficioso tanto para la niña como para la tortuga?

PARA EL NIÑO SUPONE un paso muy importante aprender que la tortuga no es un juguete sino un ser vivo con unas exigencias vitales que hay que tener en cuenta. Yo he conseguido motivar a niños y transformar sus ansias de juego en un tratamiento responsable del animal. Usted también podrá hacerlo.

Información previa

Explique a la niña algunas cosas interesantes sobre la vida de la tortuga empleando palabras que le sean fáciles de comprender. Puede hacer referencia tanto a su morfología como a su adaptación al medio ambiente en que vive, y explicarle todo lo que necesita su tortuga para ser feliz.

Visitar terrarios

El siguiente paso consistiría en mostrarle cómo se traduce todo eso en la práctica. Tómese su tiempo para llevarla al zoológico y dedicar un par de horas a observar las tortugas acuáticas o las terrestres. Enséñele cómo buscan su comida y cómo toman el sol, y explíquele cómo se reproducen y el espacio que necesitan. En algunos zoológicos hay un departamento de pedagogía en el que se imparten cursillos especiales para niños. Infórmese. Una alternativa al zoológico consiste en visitar las instalaciones privadas de los miembros de alguna asociación de terrariofília, o visitar a un criador especializado.

Preparar la instalación

Si su hija sigue mostrando mucho interés por las tortugas, ha llegado el momento de darle la gran sorpresa. Compre el terrario con todos los materiales necesarios y deje que sea la niña la que se encargue de montarlo bajo su supervisión y siguiendo los consejos de esta guía. Lo más probable es que se sorprenda al comprobar que su hija no ha pasado por alto ningún detalle importante ya que previamente ha asimilado cuáles son las necesidades de la tortuga. Si falta algo, échele una mano planteándole preguntas como «¿Y dónde se esconderá? ¿Dónde se pondrá para recibir calor?» Después de estas primeras experiencias que le habrán permitido empezar a conocer cuáles son las necesidades de la tortuga, seguro que ya ni se plantea colocarla en su granja de juguete. Ahora usted ya ha conseguido –esperemos– sus propósitos, pero deberá estar preparado para ayudar a su hija en caso de que se produzcan contratiempos.

llo largo, ya que al principio puede golpear con la cabeza o intentar morder al asustarse (ver página 106).

Acostumbrar a dos tortugas a vivir juntas

El mejor momento para juntar a una pareja sexualmente madura es en primavera, durante la época del celo y de la reproducción (a veces también en otoño), tanto si se trata de tortugas terrestres como acuáticas. Lo ideal es hacerlo en una instalación al aire libre muy amplia y en la que los animales no se encuentren a cada momento. Juntar varias tortugas de un mismo sexo solamente tiene sentido si se trata de formar un grupo de cría con varias hembras. Pero entonces hay que hacerlo fuera de la época del celo y del desove.

Júntelas solamente bajo su supervisión. En caso de duda, divida el cercado en dos partes (una para cada tortuga) con una tabla durante su ausencia. Si los animales no llegan a llevarse bien, trasládelos a instalaciones individuales.

Tortugas y otros animales domésticos

Es relativamente frecuente que los perros y gatos jueguen con las tortugas y acaben mordiéndolas, aunque sólo sea por curiosidad. Por lo tanto, permanezca siempre muy atento cuando las tortugas se encuentren con animales que en la naturaleza son sus predadores potenciales. Sin embargo, los hamsters, ratones, cobayas y pájaros no suponen ningún peligro para ellas.

Tortugas y niños

Los niños de más de seis años pueden cuidar correctamente a una tortuga bajo la supervisión de un adulto. A medida que van creciendo comprenden mejor lo que hay que hacer para mantener bien a la tortuga. Así se convierten en cuidadores responsables y ya no ven a su acorazada mascota como un juguete.

Las tortugas no siempre toleran la presencia de intrusos en las islas a las que suben para tomar el sol. A veces echan a sus competidoras a mordiscos.

4

La alimentación adecuada para la tortuga

Los conocimientos científicos de que disponemos actualmente nos permiten alimentar a las tortugas de acuerdo con sus necesidades reales. Sin embargo, darles una alimentación correcta y equilibrada sigue dependiendo de la responsabilidad de cada uno.

Una buena alimentación: como en la naturaleza

La dieta completa de una tortuga no es más que la suma de aquello que le ofrece la turaleza. Su alimentación contiene todos los nutrientes que necesita, sin hacerla gordar. Proporcionarle una alimentación adecuada ha de ser una de las funciones incipales de todo cuidador.

PARA PODER ALIMENTAR adecuadamente a su tortuga es necesario que empiece por averiguar lo que come en la naturaleza.
Tortugas terrestres: En su hábitat natural las especies del área mediterránea se alimentan de hierbas, plantas silvestres, arbustos frutales (enebro), higos chumbos, bayas y setas.
Tortugas palustres o anfibias: Son omnívoras y comen principalmente en tierra, alimentándose tanto de plantas como de pequeños animales. Entre estos últimos incluyen insectos (grillos, saltamontes, coleópteros y sus larvas), arañas, cochinillas, lombrices, babosas, caracoles y miriápodos. También suelen consumir carroña.
Tortugas acuáticas: En su medio natural encuentran una gran variedad de organismos acuáticos: crustáceos (dafnias), insectos y sus larvas (coleópteros acuáticos y larvas de mosquito), moluscos (caracoles y bivalvos), carroña de peces, mamíferos y aves, peces jóvenes y anfibios y sus larvas (renacuajos). Algunas especies de tortugas acuáticas, con el paso de los años cambian su dieta estrictamente carnívora por otra omnívora (ver descripciones de especies, página 22 y siguientes). Otras, como las tortugas ornamentales, al llegar a adultas se alimentan casi exclusivamente de plantas acuáticas.

Un alimento natural

La naturaleza también le proporciona a usted un alimento muy cómodo para su tortuga terrestre: heno de pradera. Ayuda a efectuar una buena digestión, los excrementos son compactos y su elevado contenido en fibra limpia el intestino.
Heno como alimento básico: Si se siega un prado a mitad de la floración, al secarse se convertirá en heno con aproximadamente

SUGERENCIA

Hojas como golosinas

Desde los años 80, a las tortugas del zoológico además de heno les doy también poda de espino albar, abedul joven y carpe así como hojas de parra y de morera. Estas dos últimas solamente se les pueden dar si no han sido tratadas con pesticidas, por lo que lo mejor será que procedan de su propio jardín.

un 12 % de contenido en proteínas vegetales y un 20-30 % de fibra.
En las tiendas de animales venden heno de praderas de alta montaña ya empaquetado, pero también puede conseguirlo usted mismo en alguna granja. Es importante que esté bien seco, ya que de lo contrario puede hacer enfermar a la tortuga. El heno se combina con hortalizas tales como verdolaga o brócoli.
Así conseguirá una mezcla de emergencia para cuando no pueda proporcionarles alimento fresco a diario.

El heno aromático, fresco, seco y con olor a té es un excelente alimento complementario para las tortugas terrestres.

En las tiendas de animales también se pueden conseguir *pellets* de heno seco y molido. Antes de dárselos hay que dejarlos en remojo durante media hora para conseguir una espesa papilla. De lo contrario, su gran capacidad para absorber agua podría deshidratar el intestino de la tortuga y provocarle un grave estreñimiento.
Por lo que he podido comprobar, es un alimento que a las tortugas no les gusta demasiado. Las que cuido en el zoológico lo comen sin ninguna ilusión.

Cómo alimentar bien a las tortugas terrestres

A finales de los años 90 se realizaron unos estudios científicos encaminados a determinar el contenido ideal de nutrientes (en materia seca) de la alimentación para las tortugas.
Se llegó a la conclusión de que una tortuga terrestre adulta necesita lo siguiente:

- 20 % de proteínas vegetales (un 25 % para los juveniles)
- menos del 10 % de grasas vegetales crudas
- del 13 al 30 % de fibra
- 2 % de calcio
- 1,3 % de fósforo

En total, la proporción del calcio y el fósforo aportados por todos estos nutrientes deberá ser de 1,5-2:1. Es decir, que la alimentación deberá contener notablemente más calcio que fósforo.
Partiendo de estos datos se pueden catalogar los alimentos según sus valores nutricionales. O comprobar los datos de los piensos preparados para tortugas que se comercializan habitualmente. Si en el envase del pienso no se indican sus ingredientes, no lo compre.
Advertencia: Los valores no deberán desviarse mucho de los indicados más arriba.

Una mezcla estándar segura

Como punto de partida le indicaré una mezcla muy sencilla que contiene todos los nutrientes citados en las proporciones adecuadas:

- 80 % de lechuga romana
- 12 % de manzana
- 5 % de plátano
- 1 % de otras frutas, zanahoria, diente de león

Para variar el menú puede sustituir la lechuga por hierbas silvestres autóctonas tales como pamplina, trébol rojo, trébol blanco, lamio maculado, ortigas, y muchas otras; puede dárselas solas o incluidas en la mezcla.

Alimento verde

Hierbas silvestres

El heno fresco de prado, de primera siega (izquierda), y la pamplina (derecha) son buenos alimentos para las tortugas terrestres porque contienen calcio y fósforo en la proporción adecuada.

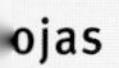

ojas

ıs hojas frescas de la ırzamora (izquierda) están sponibles durante todo el ĩo, también en invierno. A s tortugas también les ıstan mucho las hojas ərnas de abedul (derecha).

Golosinas especiales

Las hojas de ortiga (izquierda) son muy ricas en nutrientes y se encuentran por todas partes. *Miriophyllum*, junto con la elodea y la pamplina, es uno de los alimentos favoritos de muchas tortugas acuáticas.

MI MASCOTA

¿Cuánta comida he de darle?

Si la tortuga come demasiado acabará engordando y sufriendo del hígado. Además, disminuirán sus defensas y su capacidad reproductiva. Por lo tanto es importante que calcule cuál es la ración adecuada para su mascota.

Empieza la prueba:

Deje a su tortuga en ayunas durante un día. Al día siguiente, pese la cantidad de alimento fresco que le va a dar. En cuanto empiece a comer más despacio, retire la comida sobrante, pésela y reste ese valor del inicial. Así sabrá cuánto ha comido. A partir de ese momento, dele solamente la mitad de lo que comió en la prueba y vaya controlando su peso.

Mis resultados:

Dieta para especies omnívoras

Lea en las descripciones de especies (ver página 22 y siguientes) cuál es la proporción de proteínas vegetales y animales que necesita la dieta de su tortuga: a partes iguales (50:50), predominantemente vegetariana (75:25) o predominantemente carnívora (25:75). Tenga en cuenta que estas preferencias pueden sufrir cambios con la edad.

Empleo el término «dieta» a propósito. Las tortugas acuáticas parecen estar siempre hambrientas y piden más aunque ya no tengan hambre. Y ahí está el peligro, ya que nos dan lástima y corremos el peligro de sobrealimentarlas. En los ejemplares juveniles esto puede llevar a alteraciones del crecimiento –a veces con gran rapidez– y hacer que se les deforme el caparazón. Tanto los juveniles como los adultos son muy propensos a la obesidad, pero con una dieta como esta evitará esos errores. Seguir una dieta no es otra cosa que ingerir todos los nutrientes necesarios en las cantidades adecuadas.

Imbatible: la dieta natural

El alimento natural no sólo es fresco, variado y sabroso sino que además contiene todos los oligoelementos y vitaminas necesarios. Le recomiendo encarecidamente este tipo de alimentación.

Dónde conseguir esos alimentos:

- En el estanque de su jardín puede reproducir plantas acuáticas y caracoles de agua.

- En las tiendas de animales venden grillos y saltamontes como presas vivas. Usted también puede criarlos en casa si los mantiene en una instalación a prueba de fugas.
- En los recipientes grandes que se llenan con agua de lluvia no tardan en aparecer larvas de mosquito. No hay más que pescarlas.
- También puede capturar pequeñas presas vivas en ríos o charcas, pero asegúrese de que esté permitido hacerlo.
- En muchas tiendas de animales siguen vendiendo gusanos tubifex vivos. Son como lombrices pequeñas y de color rojo, pero como viven en aguas muy sucias pueden estar contaminados con metales pesados. Manténgalos un tiempo en agua limpia antes de dárselos a las tortugas.
- En su jardín seguro que encontrará todo tipo de caracoles, babosas, miriápodos, cochinillas y lombrices. Esta fauna es la habitual del montículo de compost, especialmente si lo coloca de forma que les ofrezca alimento y cobijo (ver página 44).
- En las tiendas de animales también puede conseguir zophobas y gusanos de la harina. Pero dado que son un alimento muy graso y pobre en vitaminas sólo hay que dárselos de vez en cuando y nunca como parte de la dieta habitual.

Alimentos conservados

Si no quiere o no puede salir cada día en busca de alimentos tendrá que tener una cierta provisión de comida para sus tortugas. La ventaja de esos alimentos que venden en las tiendas de animales es que los podemos tener siempre a mano, sólo hay que comprarlos y dárselos a las tortugas. Por lo tanto, si no quiere capturar presas vivas cómprelas liofilizadas o congeladas. Si son de buena calidad, su valor nutritivo es practicamente el mismo.

Entre los liofilizados encontrará crustáceos (dafnias, camarones de río), insectos y sus larvas (mezcla). En los congelados destacan las larvas de mosquito, rojas o blancas, y el tubifex. A las tortugas grandes también pueden darles peces de agua dulce y ratones recién nacidos.

Naturalmente, los alimentos congelados só-

Los caracoles no resultan muy nutritivos, pero su concha es una buena fuente de calcio.

lo se administrarán en pequeñas porciones y descongelándolos previamente hasta que estén a temperatura del aire o del agua de la instalación.

Advertencia: El valor nutritivo de los alimentos secados al sol o al aire es muy inferior al de los liofilizados o congelados, ya que en ese proceso se pierden muchos nutrientes y vitaminas. No son frecuentes en las tiendas, pero siempre vale la pena leer las indicaciones del fabricante.

Pienso preparado para tortugas

Los piensos preparados también se adquieren en tiendas de animales. Dado que están formulados para poder ser consumidos por diferentes especies, no siempre cumplirán las exigencias específicas que se indican en este libro. Los piensos para especies omnívoras o carnívoras son un extrusionado elaborado a base de camarones de río, moluscos, insectos y productos secundarios de origen animal. Contienen de un 40 a un

PARTICULARIDADES DE LA ALIMENTACIÓN DE LAS TORTUGAS

	CUÁNDO COMEN	QUÉ COMEN
Tortugas terrestres juveniles	A diario durante los 2 ó 3 primeros años: siempre han de tener comida a su disposición.	Siempre han de disponer de alimento fresco en el suelo y heno en un comedero.
Tortugas terrestres hembras durante la época del apareamiento hasta un mes antes de desovar	Deles de comer varias veces al día, pero siempre raciones moderadas para que no se estropeen.	Alimento fresco rico en proteínas y calcio; añadir pluma de sepia.
Tortugas acuáticas juveniles	A diario; el alimento ha de estar siempre en el agua, pero de modo que sea consumido antes de que se descomponga.	Camarones de río, dafnias, insectos y sus larvas, gusanos blancos; vivos o congelados.
Tortugas acuáticas en crecimiento	Dos veces al día durante las horas de actividad; el alimento vivo no ha de morir antes de ser consumido; dos días de ayuno a la semana.	Un 60 % de la dieta será igual que para los juveniles, el 40 % restante en forma de peces enteros (muertos).

50% de proteínas y del 4 al 5% de grasas. Si en el envase no encuentra datos sobre la proporción de calcio y fósforo, empléelo solamente como alimento complementario o para días de ayuno, pero no como alimento principal para ejemplares juveniles o adultos.
A las especies omnívoras habrá que añadirles proteínas animales en forma de alimentos liofilizados o congelados, y también verdura.
A las especies estrictamente carnívoras hay que darles una parte de su alimentación a base de alimentos frescos, tales como pescado de agua dulce o corazón de ternera, a los que se añadirá un suplemento de calcio.

Suplementos nutricionales para todas las tortugas

Calcio: Ofrézcale calcio permanentemente, a ser posible en forma de una pluma de sepia (de venta en tiendas de animales) que la tortuga pueda mordisquear cuando lo desee. La necesidad de calcio es especialmente elevada en los juveniles y las hembras reproductoras.
Vitaminas: Si su tortuga come alimentos frescos, recibe rayos UV y pasa el verano al aire libre no hará falta darle más vitaminas. Si fuese necesario, adminístreselas sólo bajo control veterinario.
Oligoelementos: Al igual que las vitaminas, si el animal come alimentos frescos y vive parte del año al aire libre ingerirá los oligoelementos necesarios en cantidad más que suficiente.

RECUERDE

¿Qué come cada una?

Las necesidades alimentarias de las tortugas pueden cambiar. En las descripciones de especies (ver páginas 22-31) se dan indicaciones específicas.

- Las tortugas terrestres pueden llevar una dieta vegetariana durante toda su vida, pero necesitan que el calcio y el fósforo estén en la proporción de 1,5-2:1.
- Las tortugas acuáticas jóvenes son carnívoras prácticamente al 100% mientras viven en el agua.
- La alimentación de las tortugas acuáticas puede ir variando con el paso de los años (ver descripciones de especies, páginas 22-31).
- Las tortugas acuáticas o palustres que pasan mucho tiempo en tierra suelen ser omnívoras. Es el caso de *Terrapene carolina* y *Cuora amboinensis*.
- Las tortugas acuáticas que viven casi siempre en el agua son principalmente carnívoras. Entre las estrictamente carnívoras encontramos a la tortuga almizclera y la de cuello largo.
- Algunas tortugas acuáticas también son principalmente vegetarianas, como algunas especies *Emys*, *Trachemys* y similares.

Alimentos de preparación casera

¿Le supone mucho trabajo preparar diariamente la comida de sus tortugas carnívoras? Simplifique las cosas: prepare de una vez un alimento para tortugas en raciones y guárdelo en la nevera durante más de medio año.

A PRINCIPIOS DE LOS AÑOS 70 se empezó a alimentar a las tortugas del zoo de Frankfurt con un alimento en raciones de preparación propia que contenía todos los nutrientes necesarios. Hoy ya no sabemos quién fue la persona que tuvo esa brillante idea, pero se merecería un monumento. Hasta la fecha se han publicado ya algunas variantes de la receta original.

Alimento completo

La mezcla que le propongo se atiene a la receta original formulada científicamente, que es muy sencilla. Contiene todo lo que necesita una tortuga acuática para alimentarse de forma saludable. Con ingredientes tales como pulpo, mejillones y gambas frescas se varía su sabor y se logra que la alimentación sea más variada y apetecible para la tortuga. Si prepara este alimento en raciones, cocinando una sola vez dispondrá de cantidad suficiente para alimentar a sus tortugas cómodamente de tres a seis meses. Es preferible no conservar la mezcla durante más de medio año.

SUGERENCIA

Preparar las raciones adecuadas

A las tortugas acuáticas les resulta difícil comer cosas grandes. Las fibras se desgarran y ensucian el agua. Por lo tanto, es mejor cortar el alimento a trocitos que quepan en la boca de la tortuga. Así habrá menos restos. Sin embargo, no deje de succionar lo que haya podido quedar por el fondo. Esos restos se descomponen rápidamente, incluso en el filtro, y contaminan mucho el agua.

Preparación de la receta básica

Necesitará estos ingredientes:

- 400 g de pescado de agua dulce entero
- 200 g de corazón
- 200 g de pulpo fresco
- 300 g de gambas o krill (de venta en tiendas de alimentación, 50 % de proteínas)
- 2 huevos de gallina (crudos) con cáscara
- cáscaras de otros 2 huevos (crudos o cocidos) o media pluma de sepia como fuente de calcio
- hasta 200 g de materia vegetal –según las necesidades de las tortugas– a base de hojas de ortigas, rúcola, trébol, pamplina, zanahoria, manzana, arroz hervido o sémola de maíz

- gelatina alimenticia de buena calidad (de venta en tiendas de alimentación)
- suplemento de vitaminas y minerales (veterinario)

Así se hace: Empiece por lavar bien todos los ingredientes bajo el grifo. Ponga la carne y el pescado en la batidora, añada un poco de agua y tritúrelo bien a elevadas revoluciones hasta obtener una papilla un poco líquida y con una consistencia como la de la miel. Haga lo mismo con el resto de los ingredientes. Luego mézclelo todo y caliente la papilla a 80 °C (¡controlar con un termómetro de cocina!). Continúe removiendo hasta que se enfríe a 50-60 °C, añádale la gelatina alimenticia siguiendo las indicaciones del fabricante y agregue el suplemento de vitaminas y minerales según las instrucciones del envase.

Es importante que la gelatina sea de muy buena calidad, ya que sino el alimento no tendrá la consistencia necesaria y se disgregará rápidamente en el agua del acuario.

Vierta la papilla sobre una plancha del horno para que cuaje y luego corte la masa en raciones diarias. Colóquelas en bolsitas de plástico individuales y guárdelas en el congelador.

Las tortugas acuáticas omnívoras consumirán estas raciones como complemento de sus raciones diarias de alimento vegetal fresco. Si sus tortugas son principalmente vegetarianas hará falta que un 60-80% de su dieta esté formado por alimentos tales como plantas acuáticas (por ejemplo, del estanque del jardín) y/o plantas silvestres tiernas tales como pamplina o diente de león.

¿SABÍA USTED QUE...

... en la naturaleza las tortugas terrestres comen sorprendentemente poco?

Esa fue la conclusión a la que se llegó después de realizar un trabajo de campo en el que se estudió lo que comía diariamente un ejemplar de *Geochelone carbonaria* de 1 kg de peso viviendo en libertad. El animal consumía solamente unos 10 gramos de trébol fresco (un puñado) y se mantenía perfectamente sano. Interesante, ya que ahora sabe que su tortuga no se morirá de hambre si alguna vez come menos de lo habitual.

Cómo criar alimento vivo para las tortugas acuáticas

En la página 69 ya vimos cómo se captura el alimento vivo. Pero tampoco es muy complicado criar en casa alimento vivo de primera calidad.

Lombrices de tierra

Las lombrices de tierra contienen mucho calcio (aproximadamente el 0,7 % en seco). La lombriz terrestre común (*Lumbricus terrestris*) vive principalmente en suelos arcillosos, mientras que la lombriz roja (*Lumbricus rubelus*) y la pequeña *Lumbricus castaneus*, de solamente 5 cm, viven en el humus.

La cría de Artemia es muy interesante. **A los niños les fascina** ver cómo aparecen «de la nada».

Instalación de cría: Emplee una caja de madera del tamaño de una caja de naranjas o una cubeta de cemento de tamaño similar. Llénela en tres cuartas partes con tierra arcillosa o humus. Cave en el jardín hasta conseguir algunas lombrices y colóquelas en la caja. Cúbrala con una tela de saco gruesa para oscurecerla a la vez que permite el paso del aire. Así las lombrices, que son lucífugas, se mantendrán cerca de la superficie y luego será más fácil recogerlas. Mantenga el conjunto a unos 15-25 °C y con el fondo ligeramente húmedo, pero nunca mojado. Ponga sobre la tierra algunos restos de lechuga, frutas y hortalizas. Cuanto mejor sea su calidad y variedad, más nutritivas serán después las lombrices que les dé a sus tortugas. Las lombrices introducen el alimento en sus túneles. Al cabo de una o dos semanas ya no quedará comida y habrá que darles más.
Así se dan las lombrices: Sujételas con una pinza larga y póngalas delante de la tortuga. No las eche al agua, ya que allí se mueren al cabo de poco tiempo si las tortugas no las consumen inmediatamente.

Artemia

La artemia (*Artemia salina*) se alimenta de algas verdes, por lo que son unos crustáceos muy ricos en vitaminas.
Instalación de cría: Llene un acuario de plástico de 10 l hasta la mitad con agua del grifo y añada 50 g de sal de cocina por litro. Coloque el acuario en un lugar bien iluminado (cerca de una ventana) pero en el que no dé el sol directamente, y manténgalo a 25-30 °C. Introduzca en él una bolsa de artemia viva adulta (de venta en tiendas de acuarios) y aliméntelas con las microalgas *Nannochloropsis* que se comercializan con esa finalidad. Le recomiendo que emplee solamente esa alga, ya que con los demás alimentos que he probado nunca he obtenido buenos resultados. Un difusor de acuario a poca potencia se encargará de mantener el agua en movimiento. No tardará en ver que el fondo se cubre de unos diminutos huevos marrones de los que al cabo de 36 horas saldrán las primeras larvas (nauplios).
Si inicia el cultivo de artemia partiendo de huevos, elija el envase pequeño, ya que la tasa de eclosión disminuye con el tiempo.
Advertencia: Las botellas de microalgas que venden en las tiendas de acuarios no se conservan durante mucho tiempo, por lo que es mejor verter su contenido en una cubitera y guardarlo congelado.
Así se dan las artemias: Coja las artemias que necesite con un salabre y póngalas en el agua de la instalación de las tortugas, pero tenga en cuenta que en agua dulce solamente vivirán una hora. Por eso es mejor dar pequeñas cantidades, así las tortugas las atraparán aún vivas.

Caracoles

Su concha hace que sean una excelente fuente de calcio.

ALIMENTOS SALUDABLES PARA SU TORTUGA

	SANO	MEJOR EVITAR
Para tortugas terrestres	hierbas frescas recién cortadas	plantas del borde de las calles y carreteras, sucias por el paso de coches y perros
	heno fresco y aromático cortado antes de florecer, como alimento complementario	pienso para tortugas como alimento principal o único
	semillas de hortalizas recién germinadas y ricas en vitaminas, de cultivo propio	vitaminas artificiales en forma de gotas (el veterinario decidirá si son necesarias)
	todo tipo de fruta, de cultivos naturales, hasta alcanzar el 10% del total de la dieta	frutas muy dulces (fresas, plátanos) en más de un 10% del total de la dieta
	verduras, plantas silvestres y hortalizas con mayor contenido en calcio que en fósforo (ver página 66); vigilar el contenido proteico para las hembras con huevos	verduras y hortalizas con exceso de fósforo o de ácido oxálico (ruibarbo, acedera); plantas que usted no conozca (podrían ser tóxicas)
Para tortugas acuáticas	para las omnívoras, todo tipo de plantas acuáticas y hierbas tiernas	emplear solamente alimento seco en vez de fresco
	dieta basada en alimentos frescos naturales, comprados o criados en casa	pienso preparado como alimento único o como parte principal de la dieta
	añadir calcio en la alimentación de los insectos o peces que se emplearán como presas vivas (así se compensa el exceso de fósforo)	alimentos preparados en los que no se indica el contenido en grasas ni la proporción de calcio y fósforo

1 A las tortugas les encanta comer **fruta** en su instalación al aire libre. Pero ésta no ha de constituir más de un 10% de su alimentación diaria.

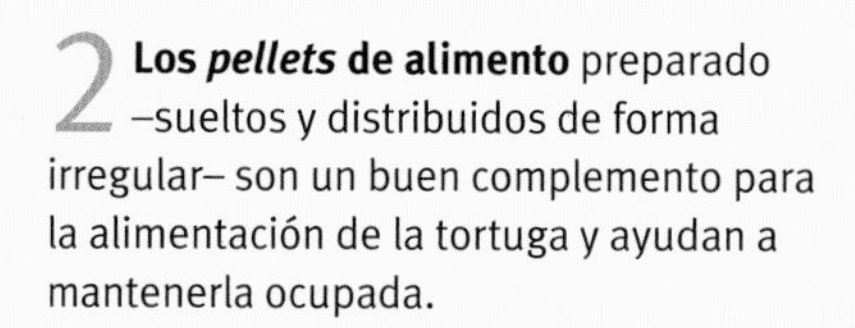

2 **Los *pellets* de alimento** preparado –sueltos y distribuidos de forma irregular– son un buen complemento para la alimentación de la tortuga y ayudan a mantenerla ocupada.

3 **Los gusanos de la hari** y otras larvas de coleópteros son una golosina para las tortugas, pero sólo h que dárselos ocasionalmente

Instalación de cría para caracoles acuáticos: Existe una gran variedad de especies de caracoles acuáticos, y muchos de ellos son considerados como plaga en acuarios y estanque, por lo que son fáciles de conseguir. Coloque un acuario de 40 a 60 l junto a una ventana y llene las tres cuartas partes con agua (la parte superior del vidrio la necesitarán los caracoles para salir a desovar). No hace falta colocar iluminación ni calefacción. Plante el acuario con una buena densidad de elodea, añada una pizca de comida para peces y deje que se pudra. Al cabo de poco tiempo los vidrios se cubrirán con una capa de algas verdes. Ahora ya podrá introducir de 6 a 12 caracoles de una misma especie (tienda de acuarios). Según la especie, consumirán las algas de los vidrios y plantas o buscarán su sustento en la superficie o en el fondo. También hay que darles alimento para peces en escamas o en pastillas.

Instalación de cría para caracoles terrestres tropicales:
los grandes caracoles terrestres tropicales del genero *Achatina* se reproducen muy bien a 26-28 °C y son un buen alimento para las tortugas jóvenes. Se alimentan de restos de fruta y hortalizas y proceden de los bosques tropicales, por lo que necesitan un terrario con el suelo cubierto por una capa de tierra de castaño de unos 10 cm de espesor que hay que mantener siempre un poco húmeda.

Así se dan los caracoles: Dé a las tortugas solamente caracoles jóvenes de unos 2 a 4 cm con concha y todo. Los caracoles terrestres deberán ser consumidos inmediatamente, ya que de lo contrario se ahogan en el agua.

Grillos

Los grillos de la especie *Achaeta domestica* son muy ricos en proteínas (un 70%) y en calcio.

Instalación de cría: El grillo doméstico se reproduce rápidamente en un acuario de vidrio de 20 l a temperatura ambiental, pero todavía es más productivo si se mantiene a 25-30 °C. Colóquelo en un rincón oscuro de la habitación y cubra el fondo con varias capas de papel de periódico que cambiará regularmente. Llene las dos terceras partes del recipiente con cajas de cartón para huevos y con tubos de cartón (como refugio para los grillos). El acuario no es necesario taparlo, ya que estos insectos no pueden trepar por las paredes de vidrio. Como alimento se les dan restos de verduras, fruta y hortalizas que habrá que renovar a diario antes de que se estropeen. También se les darán algunas avellanas e higos secos (muy ricos en calcio) y se colgará una pluma de sepia dentro del recipiente para mejorar la proporción de calcio y fósforo en los grillos a través de la alimentación.

Para que los grillos desoven, coloque en la instalación tarrinas de yogur de 250 g llenas hasta arriba de una mezcla de arena y turba finamente tamizada (1:1), que deberá mantener ligeramente húmeda. Los huevos eclosionan a los diez días y los pequeños grillos alcanzan la madurez sexual al cabo de 50-60 días.

Advertencia: Los machos cantan para atraer a las hembras. Evite que se escape algún macho y se esconda detrás del armario ropero. Podría llegar a hacer mucho ruido.

Así se dan los grillos: Coja por los extremos uno de los tubos de cartón en los que se esconden los grillos, sáquelo del criadero, llévelo a la instalación de las tortugas y haga que los grillos vayan cayendo de uno en uno. También puede sacudir el tubo sobre una caja de hojalata, hacer que caigan todos y coger los más grandes con la mano para dárselos a las tortugas. Las tortugas deberán comérselos todos inmediatamente, ya que de lo contrario se ahogarían en el agua.

Para aumentar el valor nutritivo de los **insectos vivos** puede darles alimentos ricos en minerales.

Cómo criar pulgas acuáticas japonesas

Las pulgas de agua son un excelente alimento para las tortugas acuáticas recién nacidas, así como para mantener ocupadas a las adultas. Con respecto a nuestras dafnias autóctonas (ver página 79), tienen la ventaja de que se reproducen bien a la temperatura ambiental de la habitación. Para montar una instalación de cría será mejor que se informe en su tienda habitual o en revistas de acuariofilia.

Germinación de semillas

Las semillas germinadas son ricas en vitaminas, minerales y fibra, por lo que constituyen un buen complemento alimenticio. En los comercios en que venden semillas (tiendas de alimentación naturista y dietética) también encontrará equipos e instrucciones para hacerlas germinar en casa. Vea también la página 78.

Cuestiones acerca de la alimentación

¿Cada cuánto he de dar de comer a mi tortuga acuática?

A las tortugas acuáticas hay que darles de comer cada día variando la cantidad y la composición del alimento. A los juveniles hay que darles raciones muy pequeñas distribuidas a lo largo de todo el día, como por ejemplo pulgas de agua. A medida que vayan creciendo se les dará una o dos veces al día. Incluya de vez en cuando un día de ayuno en el que solamente les dará un trocito de alimento preparado o un par de pulgas de agua. Al día siguiente puede darles un ratón recién nacido (en la naturaleza tampoco comen siempre las mismas cantidades). Cuando las hembras adultas estén ovulando habrá que darles una dieta muy variada hasta un mes después de la última puesta de la temporada.

¿A mi tortuga de tierra he de darle la misma comida durante todo el año?

Exceptuando las épocas de reposo, las tortugas terrestres europeas necesitan tener siempre heno fresco a su disposición: como alimento secundario en primavera y verano y luego como principal hasta el otoño. Es decir, reduzca los alimentos frescos en un 50-70 % para que la tortuga consuma preferentemente el heno. Las tortugas terrestres tropicales comen alimentos frescos a lo largo de todo el año, pero tampoco está de más que también tengan heno a su alcance.

¿Hay épocas en las que debo dejar de darle de comer a mi tortuga terrestre?

Aliméntela solamente durante sus períodos de actividad. La mayor parte del alimento (60-70 %) lo consumirá en las primeras horas de la mañana, y el restante 30-40 % por la tarde. Si le da comida durante sus horas de reposo le interrumpirá su ciclo diario, o se la comerá más tarde, cuando ya probablemente haya empezado a marchitarse.

¿Cómo se prepara un alimento rico en vitaminas?

Las semillas germinadas son una excelente fuente de vitaminas y pueden complementar muy bien la dieta diaria. Le resumo lo que ha de hacer: vierta un par de cucharadas de semillas en un frasco de mermelada, de modo que se repartan uniformemente por el fondo. Remójelas, lávelas siguiendo las instrucciones que las acompañan y escúrralas bien. Cierre el frasco con una malla fina o con una gasa sujeta con una gomita. Coloque el frasco sobre una cuña de 1 cm de grosor (por ejemplo, tapones de corcho) para que quede inclinado y las semillas permanezcan juntas. Hágalas germinar primero en un lugar y luego siga en otro bien iluminado, pero sin sol directo, y a 18-21 °C. Hasta el momento de emplearlas, lávelas cada día con agua turbia y escúrralas

bien. El trigo a emplear como alimento (tortugas, grillos) hay que dejarlo crecer hasta que forme un césped verde de 10 cm de altura. El girasol y el berro podemos dárselos cuando les salen las dos primeras hojitas germinales. Las otras semillas hay que dejarlas germinar hasta que la plantita alcance los 3 cm.

¿Cómo es que las pulgas de agua mueren a los pocos minutos de estar en el acuario?

Para evitarse decepciones al dar pulgas de agua vivas a sus tortugas será mejor que aplique algunos trucos: las pulgas de agua (dafnias) autóctonas viven en la naturaleza a una temperatura inferior a los 18 °C y necesitan un agua muy oxigenada. El agua del acuario de su tortuga es muy probable que esté a 24-26 °C, y esto son 8 °C más de los que necesitan las dafnias. Pueden morir instantáneamente por la brusquedad del cambio, o lentamente por la falta de oxígeno (el agua caliente es más pobre en oxígeno que la fría). Por lo tanto, antes de darles las pulgas de agua a sus tortugas aclimátelas a la temperatura de su acuario. Así sobrevivirán por lo menos durante media hora –para entonces lo más probable es que ya se las hayan comido todas–. En vez de pulgas de agua autóctonas también puede emplear las japonesas (ver página 77).

¿Qué es el «plancton de prado» y cómo puedo recolectarlo?

Con esta expresión hacemos referencia al conjunto de insectos que podemos encontrar en una pradera con flores. Para conseguirlo no hace falta más que tener un salabre de malla fina o un cazamariposas y pasarlo sobre las puntas de las hierbas del prado, así capturará una gran variedad de coleópteros, saltamontes, polillas y otros muchos insectos.
Guárdelos en un frasco de boca ancha cerrado con una malla fina o con una tapa con agujeros (ponga un par de palitos en su interior para que sujeten los insectos) y lléveselos a sus tortugas.
Tenga la precaución de no recolectar insectos en zonas protegidas y llévese solamente la cantidad que puedan consumir inmediatamente sus tortugas. Los insectos sufren al estar en el frasco y apartados de su medio natural.

¿Cuál es realmente el valor nutricional de las presas vivas?

Los animales capturados en la naturaleza son ricos en nutrientes, ya que sólo han consumido sus alimentos naturales. En los de cría propia –como por ejemplo los grillos– la calidad dependerá del alimento que les hayamos dado.
Y siempre será mejor darles una dieta a base de verduras y hierbas silvestres frescas que a base de pan seco y copos de avena. Los nutrientes pasan directamente a la tortuga porque están en el cuerpo de las presas.

5.

Sana y bien cuidada

El bienestar de las tortugas dependerá de lo que usted se esfuerce en cuidarlas. Cuanto más ponga de su parte, tanto mejor le irá a su acorazada mascota.

Cómo cuidarla correctamente

Si observa detenidamente a su tortuga e inspecciona periódicamente su instalación, pronto sabrá determinar con certeza cuándo y qué trabajos hay que hacer. Y eso seguro que repercutirá en el bienestar y la salud de su tortuga.

LO MEJOR QUE PUEDE HACER por su tortuga es seguir los consejos que le doy en esta guía y ponerlos en práctica cuando sea necesario. Si le proporciona un espacio bien amplio, los cambios de temperatura que necesita y la iluminación correcta, ya tendrá la mitad ganada. También es necesario que la tortuga pueda llevar el ritmo diario y estacional que necesita, y que le proporcione una dieta sana y equilibrada. De este modo crecerá sana y conservará su vitalidad durante muchos años.

Hay que controlar a la tortuga

Por mucho que la cuide, puede suceder que algún día su tortuga tenga gusanos o que se ponga enferma. Le recomiendo que compruebe periódicamente la salud de su tortuga y que en caso de duda la lleve al veterinario.

Diariamente: Observe si su tortuga se comporta con normalidad durante las horas de actividad y si presenta alguna herida o lesión.

Semanalmente: Coja la tortuga con la mano y revise su plastrón, los pliegues cutáneos y la región cloacal. Fíjese en si están limpios e intactos. Controle también sus ojos y la cavidad bucal y observe si produce algún ruido extraño al respirar (ver chequeo, página 58).

Una vez al mes: Pese la tortuga y anote el peso en una libreta.

Una vez al año: A finales de agosto tome unas muestras de excrementos del animal y lléveselos al veterinario junto con la tortuga para que les eche un vistazo. Esta revisión de cara a la hibernación deberá hacerla cada año de forma rutinaria. Es importante hacerlo con tiempo para poder tratarla antes de hibernar si fuese necesario.

En los días muy calurosos, las tortugas se resguardan en lugares a la sombra para refrescarse.

Si alguien va a cuidar de su tortuga durante las vacaciones, será muy útil que **durante un par de días** le deje ver cómo lo hace usted y que le permita alimentar al animal.

Cómo cuidar el terrario de las tortugas terrestres

Uno de los principales cuidados consiste en mantener el terrario en unas condiciones higiénicas impecables. Para ello hay que hacer lo siguiente:

A diario: Retirar excrementos y restos de comida; limpiar el recipiente del agua con un cepillo, agua hirviendo y detergente neutro sin aromas. Estos resultarían sumamente molestos para el fino olfato de la tortuga –aunque a usted le pareciese que ya no quedaba ni rastro–.

Cada dos semanas: Las zonas de tierra húmeda entre la parte con agua y la terrestre son un caldo de cultivo para huevos de gusanos y larvas. Viven muy bien en ese medio y cada vez se hacen más numerosos. Retire esa tierra cada 14 días con una cuchara sopera y sustitúyala por arena nueva. Cuide el microclima de la instalación para que la tortuga pueda encontrar zonas más o menos húmedas y cálidas según lo necesite en cada momento. Para ello bastará con que riegue de vez en cuando las plantas o que humedezca la esquina en la que hay tierra para escarbar. Oriéntese por las indicaciones que le proporciono en el apartado de descripción de las especies de esta guía.

Si conoce bien a su tortuga, le bastará con echarle un vistazo para darse cuenta de que se encuentra en plena forma.

Cómo cuidar las instalaciones del jardín o terraza

A diario: Abrir la instalación del balcón o el invernadero y retirar los excrementos y restos de comida. Tratar el comedero, el recipiente del agua y la tierra húmeda con gusanos del mismo modo que hemos descrito para el terrario. Asegúrese de que las paredes de la instalación siguen siendo a prueba de fugas; a veces basta con que un tronco o una piedra se haya movido un poco para que la tortuga pueda subir y darse a la fuga. En verano recoja los frutos del suelo para evitar que puedan enmohecerse o fermentar.

Una vez al año: Renueve la tierra hasta unos 7 cm de profundidad en los lugares en que la tortuga suela dejar sus deposiciones. También puede calentar la tierra de esas zonas con un soplete de propano, removerla bien y volverla a calentar dos o tres veces, pero vaya con mucho cuidado. De esta forma destruirá todos los huevos y larvas de gusanos que pudiese haber. Pode los arbustos de la instalación en mayo o junio. En noviembre deberá vaciar el estanque con la ayuda de una bomba y succionando al mismo tiempo la suciedad que se hubiese podido acumular en el fondo. Luego llénelo con agua limpia. La hojarasca suele acumularse en una de las orillas y es fácil sacarla. No se preocupe por los pequeños animales que pudiese haber en el estanque; la tortuga ya se habrá ocupado de ellos durante el verano.

Cómo cuidar el acuario para tortugas acuáticas

A diario: Eliminar los excrementos y los restos de comida. Es raro encontrar excrementos compactos, pero sus partículas y fibras suelen acumularse en el filtro o en algún rincón del fondo del acuario. Y de allí se pueden sifonar fácilmente con un tubo o una manguera.

Por cuestiones higiénicas es mejor no succionar del tubo con la boca, sino llenarlo con agua del acuario, tapar un extremo con un dedo e introducir el otro en el acuario. Sujete ese extremo sobre un cubo colocado bajo el nivel del acuario y retire el dedo. El agua fluirá directamente.

Una vez a la semana: También hay que limpiar la carga del filtro. Los pequeños restos de comida y de excrementos se deshacen en cuestión de dos a cinco días –según su tamaño y consistencia– por la acción de las bacterias. Si hay muchos detritos, las bacterias se multiplican hasta hacer que el agua adquiera un aspecto lechoso. Si eso llegase a suceder, habría que cambiar inmediatamente toda el agua (ver más abajo).

A medida que vaya ganando experiencia le costará menos detectar a tiempo el empeoramiento de la calidad del agua. En cuanto aprecie la más mínima turbidez deberá rea-

RECUERDE

Preparativos para antes de irse de vacaciones

Busque a alguna persona de confianza que pueda encargarse de su tortuga. Si es necesario, recurra a las asociaciones y clubs de terrariofilia. Dé a esa persona la «Ficha para el cuidador» que le proponemos en la página 136 .

- Comprobar que el termómetro y el higrómetro marcan los valores correctos. Asegurarse del funcionamiento del filtro y del temporizador que controla las luces.
- Indicar al cuidador dónde están los fusibles del terrario y el diferencial de la instalación eléctrica de la casa. Dejar lámparas de recambio.
- Preparar las provisiones de alimento necesarias (raciones congeladas, heno, pienso). Indicar al cuidador la cantidad de comida que hay que dar, y a qué horas.
- Indicar cuál es el comportamiento normal de la tortuga, así como sus posibles variaciones tales como cortejo, desove o preparación para la hibernación.
- Dejar anotado el teléfono y la dirección del veterinario para que el cuidador eventual pueda buscar ayuda en caso de que surja algún problema.
- Lo ideal sería que el cuidador efectuase todos los trabajos siguiendo las directrices que se exponen en este libro.

La hibernación de la tortuga

A nuestros hijos les encantan sus tortugas y se esmeran en cuidarlas lo mejor posible. Pero cuando llega la hora que Pablo y Paulina –sus dos tortugas de orejas rojas– tienen que hibernar, sufren ante la idea de dejarlas durante tanto tiempo en un sitio frío y sin comida. ¿Cómo puedo explicarles en qué consiste la hibernación?

NO SÓLO A LOS NIÑOS les resulta difícil separarse de sus tortugas durante el período de hibernación. A muchos cuidadores adultos también les cuesta abandonar temporalmente las rutinas de comprobar la temperatura a diario, vigilar el estado del agua y administrarles una alimentación equilibrada.

A los niños hay que explicarles las cosas con claridad

Si los niños ya tienen por lo menos diez o doce años, explíqueles la hibernación con un ejemplo próximo. Muéstreles que en el dormitorio también hace un poco más de frío que en el comedor y que mientras dormimos no solemos tener hambre ni sed. A la tortuga le pasa lo mismo, sólo que su sueño se prolonga durante todo el invierno porque en la naturaleza no encontraría nada para comer bajo el hielo o la nieve. Por eso duerme hasta que llegue la primavera.

La hibernación para avanzados

Si sus hijos ya son un poco mayores explíqueles ese comportamiento desde un punto de vista más científico: las tortugas son animales poiquilotermos, por lo que carecen de mecanismos propios para regular su temperatura corporal y su organismo se enfría cuando lo hace el medio en el que viven. Las especies que no viven en regiones tropicales o subtropicales sobreviven durante el invierno a base de esconderse en un lugar protegido y disminuir drásticamente su actividad metabólica reduciendo al mínimo su respiración, el pulso y los movimientos.

Un proceso completamente natural

El impulso de hibernar viene inducido por la disminución del fotoperíodo. ¡Por eso es tan importante que tengan luz natural! Cuando los días empiezan a acortar se produce una reacción hormonal que hace que se atenúe la actividad metabólica, por lo que el animal deja de comer y vacía su intestino. Para la tortuga sería muy perjudicial que usted intentase evitarle la hibernación a base de darle luz, calor y alimentos. Una vez que la tortuga se haya enterrado para hibernar, su despertador no será otro que el aumento de la temperatura al llegar la primavera. Por lo tanto, es importante para la tortuga que antes de finales de marzo o principios de abril la temperatura no suba a 12-16 °C durante más de tres a cinco días. Y esto puede suceder ya en febrero si la caja en la que hiberna la tortuga está guardada en el garaje, en la caseta de las herramientas del jardín o en una buhardilla. Despertarse para volver a dormirse al cabo de un par de días le supone un gran consumo energético a la tortuga.

lizar un cambio parcial. Una buena forma de apreciar la turbidez es empleando una linterna. Si en la oscuridad se ve muy bien el haz de luz que atraviesa el agua, toca cambiarla. La carga del filtro sólo hay que aclararla bajo el chorro del grifo para no destruir las colonias bacterianas encargadas de eliminar las sustancias tóxicas del agua.

Una vez al mes: El agua del acuario hay que renovarla una vez al mes, pero si hay poca suciedad se pueden espaciar un poco más los cambios. Al hacerlo se aprovecha la ocasión para sifonar la suciedad que se suele acumular en las esquinas del fondo. Limpie también los vidrios y las raíces con una esponja. La suciedad se irá con el agua al sifonar. Aclárelo todo con agua limpia y vuelva a sifonarla.

Mientras efectúa los cambios de agua podrá mantener a la tortuga en un cubo o en el terrario de cuarentena. Antes de volver a colocarla en su instalación habitual, asegúrese de que el agua nueva esté a la misma temperatura a la que estaba la que ha vaciado.

Advertencia: Las raíces de turbera y los extractos de turba pueden darle una cierta tonalidad al agua, pero es algo totalmente inocuo. Es más, a muchas tortugas les va bien porque ayuda a crear un ambiente más oscuro. Si la tortuga tira algo de tierra al agua también puede oscurecerla un poco, pero tampoco es peligroso.

La tortuga almizclera –como todas las tortugas acuáticas– agradece que el agua esté siempre en perfectas condiciones.

Hibernación

La hibernación, al igual que sucede con el reposo estival, es una estrategia de supervivencia que muchas tortugas llevan grabada en sus genes. Nunca hay que impedirles que la lleven a cabo, al contrario, conviene prepararla con tiempo.

SI EL ÁREA DE DISTRIBUCIÓN de su tortuga se extiende por las latitudes de la zona templada, la hibernación constituye para ella una buena estrategia para sobrevivir durante los meses más fríos del año. Esa época en que hace frío y escasean los alimentos se la pasará simplemente durmiendo. Dado que es un animal poiquilotermo que no puede generar calor corporal, su cuerpo se enfriará hasta alcanzar la misma temperatura que el entorno.

Preparativos importantes

Para que su mascota aguante bien el invierno y se despierte en perfectas condiciones al llegar la primavera hay que realizar algunos preparativos.

SUGERENCIA

Controles periódicos durante el invierno

La mayoría de los problemas que suelen surgir durante la hibernación se deben a animales enfermos o con gusanos, y como consecuencia de mantener a las tortugas en un ambiente demasiado seco o húmedo. Por lo tanto, es tan importante desparasitarlas y efectuarles una buena revisión a finales de agosto como controlar periódicamente el higrómetro del lugar en el que hibernan.

Cómo construir un cajón para la hibernación de tortugas terrestres

La construcción de una caja especial para la hibernación (ver ilustración de la página 91) le permitirá simular bien las condiciones naturales del escondrijo en el que suelen hibernar las tortugas terrestres. El agua que asciende por capilaridad desde la capa de arcilla húmeda se encarga de mantener el medio de hibernación con una humedad relativa del aire del 80-90 %, por lo que la tortuga no se deshidratará pero tampoco estará mojada.

Tamaño: Necesitará una caja de madera con una base de aproximadamente 70 x 70 cm y unos 80 cm de altura. Si la caja es más grande no pasa nada, pero si es demasiado pequeña la tortuga podría deshidratarse fácilmente.

Relleno: Cubra el fondo con una lona impermeable para estanques, de modo que los bordes queden levantados 1 cm formando una cubeta. Cúbrala con una capa de bolitas de arcilla de 10 cm de grosor en la que introducirá un tubo de plástico acodado de unos 90 cm de longitud que servirá para añadir agua si hiciese falta; acaba en la cubeta del fondo. Cubra la arcilla con una malla para raíces (de venta en centros de jardinería) para evitar que las tortugas puedan llegar hasta ella. Encima de la malla deberá

Con la llegada del otoño, muchas tortugas empiezan a buscar un lugar para pasar el invierno.

colocar una capa de tierra de castaño de unos 20 cm de espesor y apisonarla ligeramente con la mano. El resto de la caja acabará de llenarlo con hojarasca de haya. Coloque un higrómetro (¡hay que revisarlo cada año!) en el lugar en el que se situará la tortuga para hibernar, es decir, en el límite entre la tierra y la hojarasca. Protéjalo con un bote de plástico y asegúrese de que señala una humedad relativa del 80-90%. (Cuidado: *Testudo horsfieldii* hiberna con una humedad relativa del 65%). Si la humedad fuese demasiado baja, vierta 100 ml de agua por el tubo y espere dos días antes de volver a medir la humedad.

Cuidado: En ningún caso deberá verter agua sobre la tortuga o sobre el lugar en el que está reposando.

Preparación de una cubeta para la hibernación de tortugas acuáticas

Si en la naturaleza su tortuga hiberna en el fondo del agua, en cautividad también buscará un lugar de reposo subacuático. Para ello lo mejor es emplear una cubeta de plástico grueso que luego guardará en el sótano o en el invernadero (ver ilustración de la página 89). Llene la cubeta con agua, pero sólo hasta un nivel que permita a la tortuga asomar la cabeza para respirar sin tener que nadar ni levantarse del fondo. Para proporcionarle un lugar recogido que simule el limo o el fango del fondo de una charca, vierta una cierta cantidad de cubitos de gomaespuma de unos 3 cm de arista. Cubra el 95% de la cubeta con una tabla para protegerla de la luz. Si la tortuga sigue mostrándose inquieta, oscurézcala por completo.

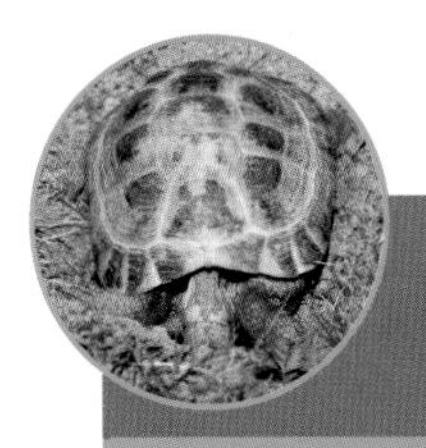

LUGARES ADECUADOS PARA LA HIBERNACIÓN

DÓNDE	VENTAJAS	INCONVENIENTES
Cavar	Temperatura constante y humedad relativa del aire del 90%	No son frecuentes en las viviendas urbanas, pero sí en las de campo
Sótano de casa, con paredes	Casi todas las casas cuentan con uno, es fácil mantenerlo a oscuras	Los sótanos de las casas modernas son demasiado secos y la temperatura raramente baja de los 12 °C; es necesario controlarlo.
Trampilla/ ventana del sótano	La humedad que llega por capilaridad evita que se seque el recipiente de hibernación; fácil de controlar visualmente.	Sólo se pueden emplear las que están orientadas al norte; las demás se calientan demasiado pronto.
Nevera	La temperatura se puede regular con precisión; el animal está siempre accesible.	Peligro de deshidratación; consumo energético.
Invernadero	Tiempos de hibernación similares a los de la naturaleza (más cortos) y posibilidad de hibernar en la tierra.	No es apropiado para *Testudo horsfieldi*, ya que esta especie necesita hibernar durante siete meses.

Si su tortuga prefiere hibernar en tierra, subirá a la zona terrestre en busca de un lugar apropiado. Trasládela a un cajón de hibernación como el de las tortugas terrestres.

Hibernación en la nevera

Tortuga terrestre: En vez de en el sótano, también puede hacerla hibernar en el cajón para las verduras de la nevera. Llene un recipiente de plástico transparente con hojarasca de haya o corteza triturada y entierre a la tortuga en ella –con el plastrón hacia abajo, naturalmente–. El tamaño del recipiente será más o menos el de una caja de zapatos. Van muy bien los recipientes para nevera con un volumen de 28 l. Si es una caja con cierre hermético, antes de llenarla deberá hacer agujeros cada 6-7 cm tanto en la tapa como en los laterales, empleando una broca de 8 mm. Sujete el higrómetro en el interior del recipiente con cinta adhesiva y de modo que pueda verlo bien desde fuera. Sujete a la tapa (en la cara interior, claro) una esponja húmeda del tamaño de una caja de cerillas que quede fuera del alcance de la tortuga y que permita mantener una humedad relativa del 80-90 %. Vigile que nada se enmohezca.

Tortuga acuática: Colóquela en una caja de plástico para nevera y añada agua hasta que el nivel quede a 1cm por encima de su caparazón. Si ha de hibernar en tierra, llene la caja con musgo o turba hasta la mitad. El tamaño de la caja deberá permitir que la tortuga gire en redondo y que no toque la tapa por mucho que estire el cuello. Necesita tener ese espacio libre como reserva de aire, aunque su consumo durante la hibernación sea mínimo. En las cajas con cierre hermético hay que efectuar taladros de ventilación por encima del nivel del agua –del modo ya descrito para las tortugas terrestres–. Así el animal podrá hibernar perfectamente en la nevera.

Hibernación en invernadero

Tortuga terrestre: Hunda la caja de hibernación en el suelo del invernadero de modo que la tapa quede a ras de suelo. Podrá prescindir del fondo de la caja, de las bolitas de arcilla y de la malla. El fondo lo sustituirá por una malla de varillas soldadas (trama de 10x10 mm) o por ladrillos que eviten la entrada de ratones desde debajo sin impedir que la humedad ascienda por capilaridad ni que el agua drene hacia abajo.

Llene la caja con una capa de corteza triturada de unos 50 cm de espesor y cúbrala con hojarasca de haya hasta arriba. En cuanto la tortuga se haya instalado en la caja por su cuenta, cúbrala con otra malla de 10x10 mm sujeta a un bastidor de madera.

Tortuga acuática: Coloque la cubeta de plástico descrita anteriormente de modo que quede a ras de suelo, pero poniendo en su interior planchas de gomaespuma para que la tortuga pueda tomar aire.

Poco aconsejable: Hibernación en el jardín o en el estanque

Siempre hay gente que se empeña en aconsejar que las tortugas terrestres hibernen en el jardín y las acuáticas en el estanque. Le recomiendo que no lo haga. A pesar de que el galápago europeo y el galápago leproso deberían poder hibernar en el exterior en aquellas regiones que están incluidas dentro de su área de distribución natural, es preferible no hacerlo a menos que se tenga mucha experiencia.

Para todas las demás especies de tortugas terrestres y acuáticas, en otoño y en primavera suele hacer demasiado frío y se producen

Una solución práctica y económica para la hibernación de las tortugas acuáticas. Ponga agua y una trocitos de gomaespuma en la cubeta, manteniéndola a oscuras.

MI MASCOTA

¿Necesitará su tortuga un período de reposo estival?

Algunas tortugas que viven en regiones de clima muy seco y tórrido sobreviven al calor y a la escasez de alimentos efectuando un período de reposo estival (conocido científicamente como «estivación»). Este test le muestra la diferencia entre estivación y enfermedad.

Empieza la prueba:

Anote periódicamente el peso de su tortuga en un diario. Si el animal de repente se muestra inactivo y deja de comer, le será fácil evaluar si ese comportamiento se debe a que va iniciar su reposo estival o si se trata de los primeros síntomas de una enfermedad: antes del reposo estival la tortuga come cada vez menos, pero antes había aumentado constantemente. Por el contrario, un animal enfermo va perdiendo peso continuamente incluso antes de mostrarse apático y desganado.

Mis resultados:

notables cambios de temperatura debido, entre otras cosas, al cambio climático que se está produciendo a nivel global. Y esto produce muchas bajas cada año.

Una buena hibernación

A finales de agosto ya llevó a analizar una muestra de excrementos, y si había gusanos ha tenido tiempo más que sobrado para desparasitar al animal. Si la tortuga está sana, ya se encargará ella de todo lo demás.
En octubre y noviembre es posible que todavía se muestre activa, pero ya no querrá comer. Ha llegado el momento de ir bajando la temperatura del aire y/o del agua a razón de 2 ó 3 °C cada tres a cinco días. Al cabo de catorce días habrá efectuado un descenso de unos 10-12 °C, por lo que la instalación ya estará solamente a 15-17 °C. Durante estas dos semanas la mayoría de las tortugas continúan sin comer, vacían el intestino, meten la cabeza bajo tierra y esperan la llegada del invierno.
En el invernadero la tortuga también encontrará por su cuenta la caja que le habrá preparado, ya que usted no necesita controlar el descenso de las temperaturas ni la disminución del fotoperíodo. Si su tortuga terrestre no vacía el intestino –a lo mejor se debe a que está en un ambiente demasiado seco– báñela durante media hora al día en agua a 25 °C hasta que lo haga. ¡Nunca deberá dejarla hibernar con el intestino lleno! Moriría

a causa de la descomposición de los restos que hay en su interior.

Controles y cuidado del agua

Pese a la tortuga antes de ponerla a hibernar y anote el peso en su diario. Durante el período de hibernación deberá controlar periódicamente tanto a la tortuga como la instalación.

Tortuga acuática: Controle al animal y su alojamiento una vez a la semana. Si el agua está limpia no hará falta cambiarla. Pero si presenta una turbidez lechosa, coloque a la tortuga en otro recipiente y lave la cubeta y los trocitos de gomaespuna bajo el grifo. Antes de volver a llenar la cubeta con agua limpia, enfríela a la temperatura que estaba anteriormente. Hecho esto ya podrá volver a colocar la tortuga.

Tortuga terrestre: El microclima de la caja es muy estable, por lo que bastará controlarla cada tres semanas. Pese a la tortuga y asegúrese de que el higrómetro marca el valor correcto.

Temperatura

Su tortuga hibernará habitualmente a una temperatura de 4-6 °C. Pero dado que las temperaturas invernales varían de un año a otro y a veces se producen algunas oscilaciones, las tortugas han desarrollado un mecanismo de protección que les permite tolerar ascensos hasta 10-15 °C durante tres o cuatro días, cosa que puede suceder ocasionalmente según la climatología. Durante este tiempo de latencia el animal puede llegar a despertarse brevemente, pero luego vuelve a sumirse en su letargo invernal sin un gran consumo energético en cuanto vuelve a hacer frío.

También hay que tener en cuenta que existen excepciones y en la naturaleza algunas especies de tortugas hibernan a temperaturas mas elevadas (ver descripciones de especies, página 22 y siguientes).

Por lo tanto, no se preocupe si en su sótano no hace tanto frío como quisiera. No pasa nada si la temperatura es algo superior a las indicadas. Mientras la tortuga permanezca enterrada y tranquila, y no pierda más de un 10 % de su peso inicial, podrá permanecer en la caja de hibernación aunque la temperatura suba un poco. Pero si la ve moverse por encima de la hojarasca es señal de que ya está despierta. Llegó el mo-

Mediante un higrómetro podrá controlar fácilmente el microclima del cajón durante la hibernación.

mento de trasladarla al terrario y cuidarla como le corresponde.

Cómo finalizar la hibernación

Tortuga terrestre: En Europa Central, una tortuga que haya pasado el invierno en el sótano suele finalizar la hibernación a lo largo del mes de abril. Un buen día aparece encima de la hojarasca. Trasládela a su terrario y manténgala durante dos o tres días a temperatura ambiental. Luego báñela a 24 °C con agua con sal (ver página 60). Ahora ya podrá elevar la temperatura del terrario de acuerdo con las necesidades de la especie. Ofrézcale alimentos frescos cada día, aunque es probable que tarde hasta una semana en empezar a comer.

Tortuga acuática: Indica el final de la hibernación aumentando su actividad. Llévela con su cubeta de hibernación a una habitación bien iluminada y que esté a 18-20 °C; retire la tapa. Pasados dos días llévela a su instalación, que deberá estar a la misma temperatura. Aumente la temperatura del aire y el agua a razón de 2 °C cada dos días hasta alcanzar los valores adecuados para la especie. Al cabo de una semana empezará a comer.

Tortuga «de nevera»: Saque a la tortuga cuando haya pasado el tiempo necesario (ver descripciones de especies, página 22 y siguientes) y déjela al principio en el terrario a temperatura ambiente. Espere a que empiece a caminar de un lado a otro. Entonces estará realmente despierta y podrá conectar la iluminación y el calefactor de su instalación. Bañe a las tortugas terrestres como hemos descrito anteriormente.

Tortuga «de invernadero»: Si su tortuga ha pasado el invierno en la caja que le preparó en el invernadero, lo más probable es que el calor y la altura del sol hagan que se despierte entre finales de febrero y principios de marzo. Conecte la iluminación y la calefacción hasta finales de mayo para que el animal pueda vivir en un clima primaveral como el de las regiones mediterráneas.

¿SABÍA USTED QUE...

... algunas tortugas también pueden hibernar a temperaturas relativamente elevadas?

El biólogo S. Pawloski estuvo hibernando durante años a tortugas de diferentes especies, entre ellas *Emys orbicularis*, *Sternotherus odoratus*, *Trachemys scripta elegans* y *Chinemys reevesii*, a temperaturas de entre 12 y 15 °C. Las mantenía por separado y a oscuras. Al finalizar la hibernación estaban perfectamente sanas y apenas habían perdido peso.

Enfermedades más frecuentes

La mejor forma de tratar las enfermedades es evitar su aparición. Estas medidas preventivas consisten en extremar las medidas de higiene, proporcionarle una alimentación saludable y respetar sus necesidades de luz y temperatura. Así se mantendrá sana durante mucho tiempo.

PARA PODER TENER siempre una idea sobre el estado general de su tortuga, debería observarla atentamente una vez al día. Si lo hace así, al cabo de poco tiempo le bastará con echarle un breve vistazo para detectar si algo va mal. Por lo menos una vez a la semana tendría que comprobar los factores que se indican en la tabla de la página 95.

Evitar errores desde el primer momento

A veces sucede que los aficionados inexpertos cometen el fallo de adquirir una cría enferma. Asegúrese de que su tortuga sea un ejemplar sano y nacido en cautividad. Los ejemplares importados desde sus países de origen, y no digamos ya los comprados en mercadillos o bazares durante las vacaciones, suelen estar en tan malas condiciones (deshidratados, mal alimentados, con gusanos) que casi siempre acaban surgiendo problemas de salud. Si compra un ejemplar adulto es más difícil que tenga problemas óseos, o al menos se detectan con más facilidad. Pero estas tortugas también pueden ser portadoras de infecciones y enfermedades debidas a un mal mantenimiento.

Cuadros sintomáticos

(Por la Dra. med. vet. Renate Keil)
La descripción de los síntomas sirve para dar la alarma a tiempo y poder llevar la tortuga al veterinario antes de que sea demasiado tarde. Los tratamientos deberán aplicarse solamente siguiendo sus indicaciones.

Insuficiencia respiratoria

Síntomas: La tortuga extiende mucho el cuello, abre la boca y emite unos sonidos

SUGERENCIA

Reconocer a las tortugas enfermas antes de comprarlas

Pida a algún experto en tortugas que le acompañe el día que vaya a comprar la suya. Seguro que encontrará a alguien en algún club de aficionados a los terrarios. Si los juveniles no han sido bien cuidados es fácil que presenten malformaciones óseas e infecciones difíciles de distinguir para un principiante.

que pueden parecer silbidos o ronquidos. Después siempre baja la cabeza agotada.
Posibles causas: Neumonía; estreñimiento; gases en el estómago o en el intestino; cálculos de vesícula o cúmulos de ácido úrico que impiden el vaciado de la vejiga anal; edemas debidos a enfermedades de riñón o de corazón.

Medicar uno mismo a los animales puede agravar **las enfermedades.** ¡Consulte siempre a su veterinario!

Tratamiento: ¡No dé calor al animal! El aumento de la actividad metabólica podría resultarle fatal. Lleve su tortuga inmediatamente al veterinario para que la someta a un examen radiológico antes de tratarla.
Las infecciones por herpes suelen ser mortales para las tortugas y no suelen responder a ningún tratamiento. La única forma de evitar que se propaguen es poniendo a los animales inmediatamente en cuarentena, desinfectar a fondo y extremar las medidas de higiene. El veterinario será quién decida el tratamiento a seguir.

Diarrea

Síntomas y posibles causas: Excrementos desechos a causa de una mala alimentación o a la presencia de protozoos, gusanos, hongos o bacterias patógenas.
Tratamiento en las tortugas terrestres: Si las heces no son sanguinolentas y el animal se muestra activo y vivaz, lo más probable es que el problema radique en la dieta. Suprima la fruta; reduzca las cantidades de lechuga y verduras, añada un 80% de heno y mezcle también algunas hojas secas. En vez de agua, dele una infusión de manzanilla o de té verde (dejar que se haga durante 10 minutos).
Tratamiento en las tortugas acuáticas: En el agua resulta difícil ver si los excrementos son anormales. Para tomar una muestra tendrá que dejar a la tortuga en un terrario de cuarentena húmedo pero sin agua. Dele poco alimento, y sin fibra (lombrices de tierra).
Si en dos o tres días no se observa ninguna mejoría, llévela al veterinario. Lleve también una muestra de excrementos (ver página 61).

Alteración de la orina

Síntomas y causas: La mayoría de las tortugas expulsan la orina en forma de un líquido transparente e incoloro acompañado de una masa blanca y pastosa formada por ácido úrico cristalizado. La orina alterada es más densa, y en los casos avanzados llega a faltar la masa blanca. Posteriormente se observan piedrecitas en ella. El animal se muestra más tranquilo que de costumbre y se le inflaman las articulaciones de la extremidades.
Cuanto menos bebe la tortuga terrestre, más ácido úrico acumula y mayores son los cristales que se forman. Y estos cristales acaban por lesionar el interior de los riñones. Se producen infecciones, se altera la función renal y el ácido úrico, al no poder ser excretado, acaba intoxicando el organismo produciendo cálculos o gota.
Las tortugas acuáticas pueden presentar los mismos síntomas, pero para poder observar su orina es necesario colocarlas en un terrario de cuarentena húmedo sin agua.
Tratamiento: ¡Lleve el animal inmediatamente al veterinario! Como prevención, a la

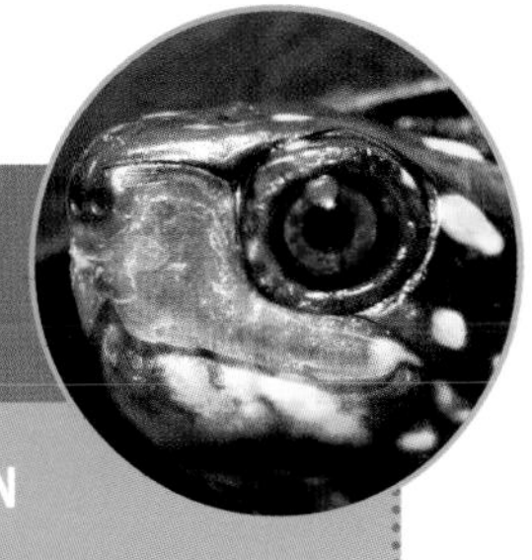

EFECTOS QUE PUEDE CAUSAR UN MANTENIMIENTO INADECUADO

SÍNTOMAS	CAUSA	SOLUCIÓN
Se forma un garfio en el extremo de la parte superior del pico.	El animal no consume alimentos duros que le desgasten y afilen el pico de forma natural. El exceso de proteínas hace que las partes córneas se desarrollen más de lo normal.	El veterinario le recortará el garfio. Añada más fibra a su dieta y dele también una pluma de sepia. Compruebe el contenido de proteínas de su dieta (ver página 66).
La tortuga terrestre tiene unas uñas demasiado largas y retorcidas.	Poca movilidad; falta de un sustrato duro y áspero; falta de superficies para trepar que requieran el empleo de las uñas. El exceso de proteínas en la dieta favorece el crecimiento de las uñas.	Aumentar la superficie de la instalación y colocar algunas losas de arenisca o de ladrillo. Estimular su movilidad (ver página 102). Compruebe el contenido en proteínas de su dieta (ver página 66).
El caparazón de los juveniles crece abombado y blando.	Alimentación inadecuada, generalmente con exceso de fósforo; ambiente demasiado cálido.	Proporcionarle una temperatura y una alimentación que correspondan a sus necesidades (ver página 66).
La tortuga terrestre tiene diarrea casi constantemente.	Alimentación generalmente pobre en fibra y con exceso de azúcar.	Aumentar el contenido en fibra cruda, reducir las cantidades de fruta.
De dos tortugas, una apenas come, no crece y se muestra muy apática.	Está dominada por la otra, que come perfectamente, crece con normalidad y está siempre activa. Inferioridad psíquica.	Hay que mantener a ambas tortugas por separado y sin que se vean.
La tortuga come tierra constantemente y no se limita a un par de pequeños bocados al día.	Intenta conseguir de este modo los minerales que le faltan en su dieta.	Comprobar el contenido en minerales de su alimentación. Consultar al veterinario.

tortuga terrestre póngale agua potable limpia en la cubeta que usa para bañarse.
El animal enfermo pasará horas en ella y beberá también mucha agua. En las tortugas acuáticas, naturalmente, no hace falta.

Neumonía

Síntomas: En tortugas terrestres o acuáticas, insuficiencia respiratoria (ver página 93) y permanencias más largas de lo normal bajo la lámpara calefactora. Las tortugas acuáticas suelen nadar inclinadas hacia un lado.
Posibles causas: Corrientes de aire, temperatura del aire más baja que la del agua (en el caso de las tortugas acuáticas). Las tortugas terrestres o acuáticas están sueltas por la casa y se exponen a corrientes de aire.
Tratamiento: Llévela al veterinario para que le recete un tratamiento después de efectuar un análisis radiológico.
Cuidado: Las tortugas acuáticas y terrestres hembras, estando sanas, suelen tomar mucho el sol durante la ovogénesis, pero en este caso no presentan los demás síntomas de enfermedad descritos.

Ojos inflamados

Síntomas: Ojos cerrados con los párpados inflamados.
Posibles causas: Corrientes de aire, entrada de un cuerpo extraño, lesiones, falta de vitamina A. En las tortugas acuáticas puede deberse al exceso de bacterias en el agua.
Tratamiento: Déjelo en manos del veterinario.
Advertencia: Los complejos vitamínicos que contienen vitaminas A y D hay que dosificarlos en función del peso de la tortuga.

Inflamación del tímpano

Síntomas: La membrana del tímpano (situada detrás del ojo y por encima de la articulación de la mandíbula) está más o menos abultada hacia fuera.
Posibles causas: Infección del oído medio, acumulación de pus.
Tratamiento: Llévela al veterinario.

Caparazón blando

Síntomas: El caparazón se vuelve blando y aparecen hemorragias en las uniones de las placas.
Posibles causas: Alimentación inadecuada, intoxicación por vitamina D_3.
Tratamiento: Llévela al veterinario; proporciónele calcio y rayos UV; no la mantenga sobre un sustrato de arena o gravilla, ya que en esta fase de la enfermedad se la comería, y eso le causaría una oclusión intestinal que suele ser mortal.

Malformaciones del caparazón

Síntomas: Caparazón hundido o con los escudos óseos de forma piramidal. Especialmente durante la fase de crecimiento.
Posibles causas: Alimentación inadecuada de los juveniles; falta de vitamina D_3.
Tratamiento: Llévela al veterinario.

Desprendimiento de piel

Síntomas: Se forman grandes ampollas, generalmente en el cuello y en las extremidades, y se desprende la epidermis dejando zonas en carne viva. Es diferente de la muda normal que experimentan muchas tortugas, porque en ese caso al desprenderse la capa superficial de la epidermis queda una piel nueva e intacta debajo de ella.
Posibles causas: Suele deberse a un exceso de vitamina A en complejos vitamínicos o a haberle inyectado una sobredosis de vitaminas.
Tratamiento: Consulte al veterinario.

El caparazón de una
tortuga sana se
ntiene paralelo al suelo al
minar y no lo roza.

2 **Una tortuga acuática sana** se mostrará siempre alerta y despierta. Además, su piel será lisa y tersa. Los ejemplares juveniles suelen lucir un bonito colorido.

3 **Muchas tortugas** se desprenden periódicamente de las capas más viejas de su caparazón. No es motivo de preocupación.

Inquietud progresiva de la hembra, en las tortugas acuáticas generalmente en tierra (retención de huevos)

Síntomas: La hembra sexualmente madura camina inquieta de un lado a otro (las tortugas acuáticas lo hacen en tierra) y a veces cava hoyos. En algunos casos puede presentar los mismos síntomas que en la insuficiencia respiratoria (ver página 93).
Posibles causas: Problemas anatómicos o fisiológicos.
Tratamiento: Llévela al veterinario.

«Prolapsis de intestino»

Síntomas: La tortuga acuática arrastra una masa de tejidos de color rosa pálido que le asoma por la cloaca.
Posibles causas: Se observa con frecuencia en los machos de las tortugas acuáticas. En realidad se trata del pene, que vuelve a retraerse como mucho al cabo de media hora, pero no es una enfermedad. Sin embargo, si es una hembra o el macho arrastra esos tejidos durante más de una hora, deberá llevar el animal al veterinario. En el caso de las tortugas terrestres hay que actuar de inmediato y envolver el tejido con una gasa húmeda para evitar que se deshidrate.
Tratamiento: Llevar el animal al veterinario.

Cuestiones acerca de la hibernación y el reposo estival

Tengo un ejemplar adulto de *Clemmys guttata* que a partir de otoño deja de comer durante dos meses pero sigue mostrándose activo en el acuario durante todo el invierno. Ahora me entero de que debería hibernar. ¿Es cierto?
Algunas especies tienen un área de distribución tan amplia en la naturaleza que es difícil saber de antemano si van a necesitar hibernar o no. *Clemmys guttata* vive desde Canadá hasta Florida, y al galápago europeo lo encontramos desde Europa Central hasta el norte de África. Si no le compra la tortuga a un criador que pueda indicarle cuáles son sus necesidades, tendrá que averiguarlo usted a base de hacer algunas pruebas.
Si el animal deja de comer, baje la temperatura progresivamente a lo largo de varios días hasta llegar a 16-18 °C. ¿Se muestra más tranquila? Si es así, es señal de que necesitaría hibernar.
En caso de duda, emplee un gradiente térmico (ver página 38). Ahí su animal podrá elegir entre frío y calor.
Si elige frío, póngala a hibernar. Si elige calor, llévela al veterinario para averiguar por qué no come.

Mi tortuga mediterránea ha desaparecido en el jardín para hibernar. No consigo encontrarla. ¿Qué puede pasarle si dejo que pase el invierno en el jardín?
Para empezar podría emplear un perro para localizar a la tortuga y desenterrarla. Hágale olfatear su refugio o los excrementos de la tortuga y luego intente que le siga el rastro bajo los arbustos o en los planteles. Si no logra dar con ella, existe el riesgo de que la localicen las ratas y se coman al indefenso animal.
Las heladas apenas le afectarán, incluso si no está enterrada por completo. Pero fíjese bien en los días soleados de febrero o marzo. Si la ve por el jardín, trasládela inmediatamente a un terrario con calefacción.

¿Puedo hacer que mi tortuga hiberne al aire libre? En mi sótano hace demasiado calor, y en la nevera no me queda sitio.
Una buena solución podría ser colocarla ante la entrada de cemento de una de las ventanas del sótano que esté orientada al norte o al noreste. Es un lugar protegido de las heladas y la humedad del suelo le llegará por capilaridad, evitando que el animal se deshidrate mientras hiberna en la hojarasca. Cubra el suelo con una capa de bolitas de arcilla para que no se tapone y coloque encima unos 5 cm de tierra de castaño. Llene el resto con hojarasca de haya y tápelo con una malla de 5 × 5 mm para protegerla de las ratas y ratones.

En todas partes me advierten de que la tortuga rusa necesita cuidados especiales y que su hibernación también es muy peculiar. ¿Por qué es tan delicada?
Su tortuga es un «hijo del

desierto». Es decir, está perfectamente adaptada para sobrevivir en regiones áridas y tórridas en las que el alimento escasea, pero no soporta los lugares en los que llueve durante muchos días seguidos y en los que tiene que deambular por suelos encharcados con frío y viento. Su organismo no tiene defensas contra el frío húmedo. Y esto hay que tenerlo muy en cuenta para su mantenimiento y su hibernación.

La humedad relativa del aire en el interior de las madrigueras en las que hiberna en la naturaleza es de aproximadamente el 80 %, y se debe a la humedad que asciende del suelo por capilaridad. De este modo, al respirar toma un aire húmedo que evita la deshidratación de sus pulmones. Sin embargo, si hiberna en un medio demasiado húmedo puede suceder que se infeste de mohos tanto por fuera como por dentro, ya que carece de defensas contra las esporas de estos hongos.

? Mi tortuga se ha despertado a mitad de la hibernación. ¿Qué he de hacer?

Puede ser que su tortuga se despierte de la hibernación antes de lo pensado y sin motivo aparente. Podría ser que se hubiese producido una elevación de la temperatura en la instalación en la que estaba hibernando.

Interrumpa la hibernación y lleve la tortuga al veterinario. Podría estar enferma. En ese caso habrá que instalarla de nuevo en su terrario o acuaterrario habitual y administrarle el tratamiento prescrito hasta que se cure.

? Carezco de medios para poner mi tortuga a hibernar. He oído decir que a la tortuga no le haría ningún daño, y que para los juveniles incluso es mejor así.

En cualquier club o asociación de aficionados a los terrarios le proprocionarán un lugar para que hiberne su tortuga. O emplee una nevera como cuartel de invierno. Si no satisface la necesidad de hibernar de su tortuga, privará a su organismo de una fase de reposo muy importante. No se morirá por ello, pero con el paso de los años será cada vez más sensible a las enfermedades y no podrá llegar a reproducirse. Las crías hibernan como los adultos, pero su pequeño tamaño hace que sean mucho más sensibles a la deshidratación. Las crías nacidas a finales de otoño puede ponerlas a hibernar durante dos o tres meses a partir de febrero del año siguiente.

Actividad y bienestar

Para que la tortuga se mantenga físicamente en forma y no sufra innecesariamente de estrés hay que acondicionar su instalación de forma muy variada y proporcionarle unos cuidados que estimulen todos sus sentidos.

Mantener a las tortugas como en su medio natural

Existe una gran diferencia entre una tortuga mantenida de acuerdo con sus necesidades naturales y una tortuga cuidada como mascota. Aquí aprenderá qué lo que necesita su tortuga para sentirse casi como si estuviese en su medio natural.

UN CONSEJO PARA EMPEZAR: Su tortuga es un animal silvestre cuyo reloj interno está adaptado para la supervivencia en el medio natural. Es decir, que cada especie funciona según su propio biorritmo. Así, por ejemplo, una tortuga de caja de Carolina es de costumbres crepusculares y no se mantiene activa durante el día como hace una tortuga mediterránea. Téngalo muy en cuenta a la hora de darles de comer y de efectuar los trabajos de mantenimiento para no molestar al animal durante sus horas de descanso.

Vida natural

En busca de comida: En la naturaleza, los animales dedican muchas horas y muchos esfuerzos para conseguir el alimento que necesitan, ya que les supone recorrer distancias considerables. Estaría bien que usted hiciese algo similar con su tortuga, aunque sea a pequeña escala. Es decir, que distribuya el alimento por toda la instalación para que la tortuga necesite recurrir a todos sus sentidos para localizarlo durante sus horas de actividad. Y las tortugas acuáticas deberían poder cazar a sus pequeñas presas vivas. Así se mantiene en forma su sistema cardiovascular, conserva bien sus sentidos, ejercita la musculatura y limpia el caparazón al frotarlo contra los obstáculos.

Elección de territorio: En la naturaleza las tortugas buscan un territorio que les ofrezca buenos escondrijos para descansar, lugares adecuados para tomar el sol y para desovar, así como –si es necesario– un buen refugio para hibernar. Por lo tanto, es importante

Emydura subglobosa *es una excelente nadadora y sale muy poco a tierra firme.*

que en su instalación también podamos satisfacerle estos requisitos.
Está claro que va a ser difícil ofrecerle todo esto en un terrario doméstico de interior, aunque conozco aficionados que le dedican a sus animales una habitación entera de más de 12 m² con una ambientación muy realista: grandes agaves, arbustos y plantas crasas en macetas entre rocas naturales y bajo una intensa iluminación artificial (lámparas HQI-TS, ver página 42).
Pero una instalación de estas características está fuera del alcance de la mayoría de los aficionados, por lo que la mejor alternativa consiste en mantenerlas al aire libre. A lo largo de las siguientes páginas le indicaré cómo mantener a la tortuga de forma natural.

Dejar que siga sus instintos naturales

En su medio natural, las tortugas pequeñas hacen todo lo posible para ponerse fuera del alcance de sus posibles predadores. Es un comportamiento instintivo que siguen desde que nacen. A medida que vayan creciendo, el caparazón les proporcionará cada vez más protección. Si se siente amenazada por un predador, la tortuga se retrae inmediatamente en su coraza y espera a que pase el peligro.
¿Y esto que significa para usted? Pues que las tortugas pequeñas procurarán estar siempre a cubierto, tanto en el terrario como en la instalación al aire libre. Es decir, que durante los primeros tiempos no aprovechará ese terrario que usted ha acondicionado con toda su imaginación, sino que permanecerá en los lugares en los que se sienta más segura. Preferirá mantenerse a cubierto y le irá muy bien que usted le ponga la comida cerca de donde está. En los terrarios de interior las tortugas suelen aprender bastante pronto que pueden recorrer todo el territorio disponible sin exponerse a ningún peligro. Pero si en verano la traslada a la instalación del jardín –es decir, a un lugar que le resulta completamente nuevo– su instinto hará que vuelva a esconderse rápidamente. Especialmente si allí la pequeña tortuga se siente amenazada por gatos, urracas o aves rapaces. Aunque usted proteja la instalación con una red a prueba de aves, la tortuga se mantendrá siempre alerta y desconfiada. Si usted comprende bien las razones de su comportamiento no intentará obligarla a hacer cosas que irían contra sus instintos. A medida que vaya creciendo se dará cuenta de que con usted no estará expuesta a ningún peligro. Además, el desarrollo de su caparazón hará que cada vez se sienta más segura –esto hará que disfrute de su instalación al aire libre con mucha más libertad que una cría–.

Hacer ejercicio sienta bien

Si la instalación está bien acondicionada, la tortuga se mantendrá activa y vital. Pero usted aún puede mejorarlo un poco más con algunos trucos.
Variedad para tomar el sol: Después de observar a su tortuga durante algún tiempo, usted ya sabe dónde prefiere tomar el sol. Si distribuye adecuadamente las rocas y los arbustos podrá hacer que el animal tenga que tomar el sol en un lugar por la mañana y en otro por la tarde, ya que el primero habrá quedado a la sombra. Procure que estos lugares estén lo más alejados posible y que entre ellos haya algunos obstáculos que la tortuga deba superar para ir de uno a otro y se vea obligada a trepar o a nadar.
Distribuir la comida: Buscar la comida tam-

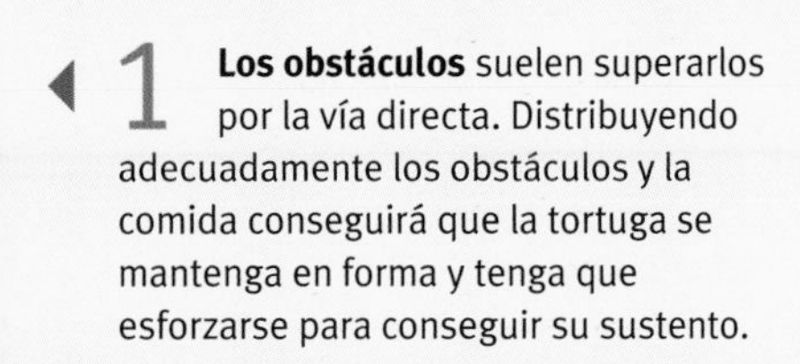

◀ 1 **Los obstáculos** suelen superarlos por la vía directa. Distribuyendo adecuadamente los obstáculos y la comida conseguirá que la tortuga se mantenga en forma y tenga que esforzarse para conseguir su sustento.

Los baños de sol son una parte fundamental de la rutina diaria de una tortuga. Le proporcionan la temperatura corporal que necesita así como la radiación UV que precisa para su organismo. 2 ▶

◀ 3 **Las aguas poco profundas,** pero que a la vez constituyen un buen refugio, son el medio ideal para tortugas como esta de la especie *Cuora amboinensis*. Desde ahí puede controlar cómodamente todo su territorio y le será fácil rechazar a los posibles intrusos.

Los montículos de ramas o de hojarasca ofrecen un buen cobijo a tortugas como este ejemplar adulto de *Testudo marginata*. Un efecto secundario interesante: la densidad de la maleza pule el caparazón de la tortuga. 4 ▶

Este tipo de comederos hacen que la tortuga se mantenga muy atenta a la espera de que le caiga algo.

bién ayuda a que la tortuga se mantenga activa. En las instalaciones al aire libre de grandes dimensiones en las que cada tortuga adulta dispone de una «zona de pastos» de unos 12 m² se pueden sembrar hierbas y plantas especiales para tortugas terrestres (actualmente se comercializan mezclas de semillas con esta finalidad). Las diferentes hierbas se desarrollarán en diferentes épocas a lo largo de todo el año e irán atrayendo a la tortuga con sus aromas. Pero si la instalación es más pequeña existe el riesgo de que las tortugas se coman las plantas antes de hora con raíces y todo. Evítelo dándoles diariamente lechuga y verduras frescas recién cortadas.

Arbustos frutales en la instalación al aire libre: Los arbustos tales como groselleros, frambuesos, zarzamoras, enebros y espino albar producen frutos que maduran hasta bien entrado el otoño y que caen al suelo del recinto de las tortugas. Estas aprenden rápidamente que su búsqueda puede proporcionarles resultados muy sabrosos. Además, estos arbustos les proporcionan una sombra muy agradable durante los meses más calurosos y la poda (hojas y ramitas) de la zarzamora y el espino albar también son comestibles. Retire al cabo de un día los frutos que las tortugas no hayan llegado a consumir, ya que pueden enmohecerse o fermentar.

Distribuir las golosinas en el terrario: En el terrario también se pueden poner algunas frutas silvestres (frescas o secas) como golosinas para las tortugas. Les encantan los frutos del agracejo, así como los del enebro y muchos más. Repártalos por la instalación durante las horas de actividad de las tortugas.

Tortugas acuáticas en la instalación al aire libre

En un rincón sombrío de la instalación al aire libre, forme un pequeño montículo de compost para aquellas especies acuáticas que pasan mucho tiempo en tierra, como las de los géneros *Cuora* y *Chinemys*. Coloque algunos troncos viejos o trozos de madera sin tratar junto a su base. Bajo la madera se multiplicará una abundante fauna a base de cochinillas de la humedad, miriápodos, pequeños insectos, etc. que se alimentan de la materia vegetal en descomposición. La tortuga no tardará en descubrir a todas estas sabrosas presas y las perseguirá con frecuencia.

Si su tortuga pertenece a una especie que no suele salir del agua, eche al estanque uno o dos de estos animalitos durante sus horas de actividad.

Distribuidor de alimentos: Este accesorio es fácil de construir en casa y sirve para distribuir el alimento de forma aleatoria. Consiste en un tubo de plástico de unos 20 cm de largo y 3 cm de diámetro, cerrado por ambos extremos y con agujeros de 4 mm de diámetro a una distancia de 2,5 cm entre sí. Cuelgue el tubo sobre el agua o sobre tierra, de modo que los agujeros queden orientados hacia abajo. Coloque en su interior tres o cuatro grillos jóvenes, o algunos de los animalitos del montículo de compost. Al moverse por su interior irán cayendo al terrario, esto mantendrá a la tortuga siempre atenta para no perderse ni uno.

Prolongación de la permanencia en el exterior

Cuanto más tiempo pueda pasar la tortuga al aire libre, tanto mejor. En Europa Central, durante los meses de mayo y septiembre suele haber muchos días cálidos y soleados. Pero suelen interrumpirse por períodos más fríos. En el invernadero la tortuga puede aprovechar estos días cálidos, ya que si vuelve a hacer frío dispone de lugares para resguardarse. Y esto le permite pasar dos o tres meses más en el exterior sin correr ningún peligro. Si sigue el modelo que le propongo para las tortugas acuáticas (ver ilustración de la página 45), entonces también vale la pena que monte el sistema de calefacción solar, ya que así calentará el agua del estanque y podrá utilizarlo durante más tiempo.

¿Se han acostumbrado bien la una a la otra?

Le ha colocado una compañera a su tortuga terrestre hembra. En una instalación al aire libre resulta fácil observar el comportamiento de los animales. ¿Llevan bien la vida en común o hay constantes enfrentamientos entre ellas?

Empieza la prueba:

Haga un esquema de su instalación y trace durante un par de días los caminos que recorren las tortugas. Anote si las zonas de reposo están muy separadas, y si las tortugas se molestan o se enfrentan con frecuencia. ¿Gozan ambas de buen apetito? Si al cabo de ocho días las dos comen y descansan con normalidad es señal de que el asunto ha salido bien.

Mis resultados:

Aprender a coger a las tortugas

Nos regalaron una tortuga de mejillas rojas adulta y la hemos instalado en el estanque del jardín. Ahora quisiéramos cogerla para llevar a cabo los controles de rutina, pero ninguno de nosotros se atreve con ella. Incluso mi marido tiene miedo de que le muerda, pero mi hija está dispuesta a cogerla ella. ¿Cuál es la mejor manera de hacerlo?

PARA MANIPULAR a las tortugas basta con seguir unas reglas muy sencillas. Estas se basan en el comportamiento defensivo de la tortuga, que varía según la especie y la edad.

Hay que saber cómo se defiende

Dado que el caparazón de las crías y los juveniles todavía es demasiado blando como para ofrecerles una buena defensa pasiva, estas tortuguitas suelen defenderse agitando con fuerza sus extremidades. En cambio, las tortugas adultas emplean su caparazón retrayendo la cabeza y las extremidades completamente en él para defenderse. En esto podemos distinguir dos grupos, las que retraen el cuello longitudinalmente y las que lo doblan lateralmente. En el primer grupo se incluyen todas las tortugas terrestres y muchas de las especies acuáticas. Todas ellas retraen el cuello y la cabeza en el caparazón. Las del otro grupo, que incluye bastantes especies acuáticas, protegen su cabeza y su cuello –generalmente bastante largo– introduciéndolos lateralmente en un canal situado entre el espaldar y el plastrón. Entre estas se cuentan la matamata y las tortugas de los géneros Pelomedusa, Emydura, Chelodina y algunos más.

Cómo tratar a las tortugas

Ahora que ya sabe cuál es el comportamiento defensivo de las tortugas, veamos cómo hay que cogerlas: los ejemplares juveniles de las tortugas que retraen el cuello longitudinalmente (la mayoría) se sujetan con los dedos índice y pulgar, colocándolos uno a cada lado del caparazón desde arriba como una tenaza. A los individuos de más edad y mayor peso se los sujeta apoyando una mano en cada costado y aguantándolas por el caparazón. A las tortugas de cuello largo (las que lo pliegan lateralmente) juveniles se las sujeta aguantándolas por la parte posterior del caparazón con el pulgar y el índice para que no puedan llegar a mordernos –cosa que sin duda intentarán aunque sean pequeñas–. A los individuos adultos se les sujeta como a los juveniles, pero empleando las dos manos en vez de dos dedos. Si hay que manipular ejemplares pesados y agresivos es recomendable ponerse unos guantes de trabajo para protegerse de las mordeduras.

En prácticas

Deje que su hija coja tranquilamente a la tortuga y la levante. Al principio sólo unos pocos centímetros sobre el suelo. Así si se asusta y la deja caer no le hará daño. De este modo se dará cuenta de la fuerza que puede llegar a hacer la tortuga para defenderse y aprenderá a reaccionar a tiempo. Pronto podrá cogerla con seguridad.

Cuidar a varias tortugas

Muchas veces oímos decir que las tortugas necesitan tener una pareja para poder manifestar su comportamiento social. Desde el punto de vista humano, es comprensible. Pero las necesidades de las tortugas son muy distintas de las nuestras. Es cierto que cuando una tortuga se encuentra con otra de su especie se comporta de un modo diferente a cuando está sola, especialmente si se trata de hembras que compiten por un lugar para desovar. También es cierto que la comunicación intraespecífica, sobre todo entre una pareja, incluye unas pautas de comportamiento sumamente interesantes de observar. En este caso, y por el bienestar de la pareja, es importante que puedan vivir esa experiencia sin que ninguna de las dos tortugas sufra daños –lo cual implica que habrá que prestar atención a lo que hacen–.
Hasta la fecha no se ha demostrado científicamente que a la tortuga le falte nada vital para su existencia si ha de prescindir de relacionarse con otros miembros de su especie.
Individuos del mismo sexo: Para una tortuga hembra, el convivir con otra hembra de su especie no supone ningún cambio importante que pueda ser significativo para su bienestar. Pero si ambas se llevan bien establecerán una relación interesante de observar.
Individuos de diferentes sexos: Si coloca un macho junto a una hembra, inmediatamente empezará a cortejarla. En la naturaleza la hembra puede darse a la fuga si considera que su galán es demasiado insistente. O el macho puede buscarse a otra hembra que se cruce en su camino. Es decir, el macho en ningún caso será un buen compañero habitual para la hembra y a la larga no habrá forma de evitar que la moleste. Los machos de las tortugas acuáticas son especialmente famosos por su insistencia.

En las instalaciones al aire libre, la tortuga de caja de Carolina tolera bien la presencia de sus congéneres.

Cómo interpretar correctamente los contactos sociales

Persecuciones molestas: Los machos de las tortugas terrestres tampoco suelen ser menos impulsivos que los de las especies acuáticas.

SABÍA USTED QUE...

... las tortugas no necesitan imprescindiblemente la compañía de sus congéneres?

En las manadas de lobos y en las colonias de perritos de las praderas, todos miembros sacan provecho de la vida comunitaria. En el caso de los lobos mentan las probabilidades en la caza, y en el de los perritos de las praderas menta la seguridad ante los predadores. Sin embargo, las tortugas h evolucionado como seres solitarios. Y esto también les aporta sus ventajas, pu así les es más fácil pasar desapercibidas que si viviesen en grupos numerosos un posible predador le sería mucho más fácil localizar a un grupo de tortugas t restres que a un ejemplar solitario. Solamente a las tortugas acuáticas capac de nadar con rapidez les sale a cuenta reunirse en grupos «de conveniencia» ra tomar el sol sobre uno de los pocos troncos que emergen en su charca. Pe siempre hay una de ellas con los ojos bien abiertos y que a la más mínima se de peligro hace que todas salten inmediatamente al agua.

Podría parecer que la incansable persecución de las hembras forma parte de las necesidades de los machos y que es necesario dejar que lo hagan para poder vivir de acuerdo con las exigencias de su especie. Pero eso sería un grave error, ya que en la naturaleza la hembra tiene muchas más posibilidades para ponerse a salvo. En cautividad es frecuente que el animal perseguido –que puede ser una hembra, pero también un macho rival– al principio intente huir, pero luego se muestre cada vez más apático y acabe por dejar de comer. No es raro que el perseguido le cause heridas a su pareja, e incluso pueda llegar a matarla. Entre estos machos tan agresivos encontramos a los de la tortuga rusa y los de las diferentes especies de *Cuora*. A veces incluso hay machos subadultos que se comportan de este modo, como por ejemplo los de la tortuga de las grietas.

Pero, por favor, no crea que la tortuga se comporta de ese modo porque es mala. En la naturaleza la agresividad tiene su razón de ser. Además, allí no hay peligro porque cada animal puede escapar a tiempo y ponerse a salvo. Pero en un terrario no sucede así, y será usted quién deba cargar con la

Su tortuga está activa incluso cuando descansa. Observa su entorno con **todos sus sentidos,** analiza olores y capta las vibraciones.

responsabilidad de separar a los animales a tiempo para evitar daños innecesarios.

Cómo juntarlas bien

Del mismo modo que a los principiantes les recomiendo que inicialmente sólo mantengan a las tortugas en terrarios individuales, también les aconsejo que cuando tengan más experiencia se animen a intentar su reproducción. Y es que la reproducción es una de los aspectos más apasionantes del comportamiento de estos animales.

¿Quién con quién? Supongamos que usted pretende mantener a una pareja en una instalación lo suficientemente grande para conseguir su reproducción. En ese caso le recomiendo que pase el animal dominante a la instalación del más débil, lo cual –en la mayoría de los casos– supone llevar el macho al terrario de la hembra. Así esta tiene la ventaja de permanecer en un entorno en el que conoce cuáles son las vías de escape.

Este método es especialmente recomendable en aquellos casos en los que el macho es muy impulsivo, pero la hembra necesita un poco más de tiempo para acostumbrarse a su pretendiente. Dado que sitúa al macho en un entorno que le resulta desconocido, es probable que al principio se muestre algo más retraído –aunque a veces sólo sea por diez segundos, ya que no siempre funciona–.

Los criadores expertos suelen colocar a la hembra en la instalación del macho, ya que así el apareamiento suele producirse mucho antes y pueden volver a separar a las tortugas inmediatamente.

Juveniles «sociables»

Si consigue la reproducción de sus tortugas, se dará cuenta de que los juveniles muestran un comportamiento que podría parecer «social»: muchas crías se reúnen para compartir un mismo refugio. Pero esto no se debe a que necesiten estar junto a los suyos, sino que se limitan a compartir un escondrijo seguro. En cuanto crezcan un poco más, cambiarán su comportamiento y se convertirán en seres solitarios.

El caparazón de una tortuga terrestre juvenil sana deberá ser liso y redondeado.

7 La reproducción de las tortugas

Siempre resulta apasionante observar de cerca cómo se aparean las tortugas, cómo desovan y cómo salen las crías de los huevos. Pero los neonatos necesitan que usted les eche una mano para salir adelante.

Criar tortugas

Desde hace unos 50 años las poblaciones de tortugas en la naturaleza no hacen más e disminuir. Las principales causas de esto son la destrucción del medio en que viven y su ptura para emplearlas como alimento. Criarlas en cautividad contribuye a evitar que sean pturadas para abastecer el mercado de animales de compañía.

LO MEJOR QUE PUEDE hacerse para impedir que una especie llegue a extinguirse es evitar la destrucción de su hábitat natural. En el caso de las tortugas, su reproducción en cautividad puede ser de gran importancia para conservar las poblaciones naturales, sobre todo si se trata de especies que hasta ahora se capturaban en gran cantidad para satisfacer el mercado de animales domésticos. Motivo por el cual muchas de estas están actualmente protegidas.

Protección de las especies

Es posible que usted crea que la protección de las especies se limita a prohibir la captura de esos animales en la naturaleza. Pero eso es solamente una parte de las disposiciones legales. También está prohibido soltar en la naturaleza los ejemplares mantenidos en casa –tanto si se trata de especies autóctonas como exóticas–.

Consecuencias catastróficas: El ejemplo de la tortuga de mejillas rojas –que actualmente ya no vive solamente en América del Norte sino también en Europa y Asia– nos permite ver el peligro que suponen las especies exóticas para la fauna autóctona. Se cruza con otras subespecies en su medio natural y desplaza de su hábitat a las especies más débiles. Además, su insaciable apetito hace que arrase con las puestas y crías de anfibios y peces, así como con los invertebrados y la vegetación acuática, destrozando los biotopos a los que llega.

Leyes proteccionistas para las tortugas

A raíz de estos peligros, que se aplican a todo el mundo animal, se han promulgado leyes para la protección de las especies.

SUGERENCIA

Protección de las tortugas

En toda Europa existen organizaciones cuyos grupos de trabajo llevan a cabo proyectos para la reproducción de determinadas especies o familias de tortugas. A sus miembros se les facilita la obtención o el intercambio de las crías obtenidas, estableciéndose un control a nivel europeo de la reproducción y reintroducción de las especies amenazadas.

RECUERDE

¿Qué puedo hacer para protegerlas?

Las autoridades locales encargadas de la protección de la naturaleza le indicarán lo que ha de hacer en cada caso:

Si compra o le regalan una tortuga.

- Su anterior propietario le proporcionará toda la documentación necesaria y usted deberá registrarla ante las autoridades locales responsables de la protección de la naturaleza.

Si su tortuga tiene descendencia.

- Deberá inscribir todas las crías ante las autoridades pertinentes, demostrando a la vez que posee toda la documentación necesaria para los reproductores. Con esto recibirá un documento CITES para cada individuo y que a su vez le permitirá cederlos a otras personas, las cuales también deberán registrarlos legalmente.

Información sobre el estado legal de sus tortugas

- La lista de las especies protegidas se actualiza constantemente. Consulte su estado actual a las autoridades responsables en su localidad.

No sólo regulan la posesión y el mantenimiento del animal (si lo lleva con usted, está en posesión de él; no es necesario que lo tenga en un terrario), sino también su reproducción y la cesión de las crías, tanto si es como regalo como si es a cambio de dinero (venta).

Especies protegidas: Actualmente están protegidas todas las tortugas terrestres y muchas de las acuáticas. Infórmese de si la suya se encuentra entre ellas. Si desea mantener una especie protegida, al obtenerla deberá cumplimentar la documentación pertinente y el vendedor lo inscribirá ante las autoridades locales. Las especies muy protegidas están incluidas en el Apéndice II del Convenio de Washington para la Protección de las Especies y en el Apéndice II de la Normativa Europea.

A tener en cuenta al comprar: Como principiante, para ir sobre seguro deberá pedirle al vendedor que le proporcione toda la documentación de la tortuga o, en su defecto, que le dé todos sus datos personales y le anote los nombres científico y común de las tortugas así como su sexo (en caso de ser identificable).

Si se trata de crías nacidas en cautividad, el criador deberá indicarle la fecha de nacimiento, así como la documentación de los reproductores.

Si adquiere un ejemplar de importación, deberá ir acompañado de su correspondiente documento CITES (ver página 113). Todos los papeles incluirán siempre una fotografía de su tortuga.

Leyes: El criador o vendedor le indicará cuáles son los pasos que ha de dar para conseguir legalizar el animal a su nombre. Las leyes y normativas cambian de unos lugares a otros y se revisan constantemememente, por lo que tendrá que informarse detalladamente cuando obtenga su tortuga. La ley especi-

fica cuál es la forma en que hay que marcar a las tortugas para facilitar su identificación. A los ejemplares de más de 500 g hay que colocarles un microchip (transpondedor), pero no es obligatorio en individuos de menos de ese peso o de especies que nunca lleguen a alcanzarlo.
Dado que los microchips se pierden con cierta facilidad o dejan de funcionar y no hay forma de localizarlos, actualmente se está imponiendo la documentación fotográfica incluso para tortugas de más de 500 g. Para ello se las coloca sobre una regla para indicar su tamaño y se les fotografía el espaldar y el peto. En los juveniles hay que hacerlo a intervalos regulares hasta que alcancen su talla de adultos. En caso de duda, consulte a las autoridades pertinentes.

Documento CITES

Para trasladar o comerciar dentro de la Unión Europea con especies incluidas en el anexo A es obligatorio el documento CITES; para las especies del anexo B no lo es. Este documento siempre es necesario para su exportación fuera de la UE, incluso si se trata de ejemplares nacidos en cautividad.

Conocimientos necesarios y condiciones mínimas

En la UE, si el propietario de un individuo de una especie incluida en anexo B desea cederlo a otra persona, es necesario que esta demuestre poseer los conocimientos necesarios para su mantenimiento. Y las autoridades, antes de otorgarle el permiso pueden exigirle que demuestre esos conocimientos. Para su mantenimiento rigen unas normas aprobadas internacionalmente y que garantizan la supervivencia de la tortuga atendiendo a unos estándares mínimos. Estos han sido redactados por expertos de jardines zoológicos en colaboración con la DGHT. Todas las indicaciones y medidas que recomiendo en este libro cumplen de sobras con dichas disposiciones.

Después de excavar laboriosamente un hoyo con sus extremidades posteriores, la hembra deposita los huevos en su interior con el máximo cuidado.

MI MASCOTA

¿Con qué agresividad reaccionan sus tortugas?

Algunas especies son muy conocidas por su agresividad, que incluso aumenta durante la época del apareamiento. Esta agresividad tiene su origen en la necesidad de defender un territorio propio. Compruebe si sus tortugas son animales potencialmente agresivos.

Empieza la prueba:

Para empezar es necesario que las tortugas conozcan bien la instalación y que usted ya esté familiarizado con ellas. La agresión es más fuerte si uno de los animales se lanza en línea recta hacia el otro; este huye, y el perseguido le muerde si logra alcanzarlo. Solamente podrá confiar en que lleguen a ser compatibles si pueden estar juntas sin lesionarse (ver página 105).

Mis resultados:

Cortejo y apareamiento

Si ha logrado que su pareja se lleve bien y las tortugas están dispuestas a aparearse, prepárese para disfrutar mucho observando todo lo que va a suceder. Se maravillará al ver la habilidad del macho para cortejar a su pareja, especialmente si se trata de tortugas de mejillas rojas o *Emydura subglobosa*; sus estrategias son muy vistosas.

O contemplará a la hembra procurando tomar mucho el sol para ayudar a madurar los huevos que lleva en su cuerpo y luego cavar un hoyo para depositarlos en su interior.

Advertencia: Observe a sus animales con la máxima discreción, ya que si las tortugas le ven es probable que interrumpan lo que están haciendo para acercársele en busca de comida.

Mantener a varias tortugas aunque sólo se trate de una pareja reproductora, siempre resulta algo complejo. ya que el cuidarlas por separado exige disponer de bastante espacio. Y para el apareamiento hace falta una buena instalación al aire libre.

Las comunidades de cría constituyen una buena alternativa, especialmente si hay falta de espacio. Simplemente, le deja la hembra o el macho a otro criador durante un cierto tiempo y luego se reparten las crías (ver página 124).

Advertencia: Al contrario que las tortugas terrestres, las acuáticas suelen aparearse en el agua. Pero también hay excepciones, ya que algunas tortugas palustres que salen mucho a tierra firme (como *Cuora flavomarginata*) suelen aparearse fuera del agua.

Preparar el apareamiento

Separar a la pareja: Mantenga a la pareja reproductora por separado antes del primer apareamiento de la temporada, sea en terrarios individuales o en un terrario con divisiones, a menos que disponga de una instalación al aire libre de grandes dimensiones. El truco para conseguir un apareamiento efectivo consiste en tener a la pareja separada durante el tiempo suficiente como para que realmente deseen encontrarse.

La hibernación también nos brinda una excelente oportunidad de separar a animales que hasta ese momento convivían en la misma instalación. Generalmente se aparean poco después de salir de la hibernación.

Primer contacto: Después del período de reposo invernal, o a lo largo de la primavera, coloque a ambos animales en una misma instalación pero separados al principio por una tabla a modo de barrera. Las tortugas no se podrán ver, pero se olerán. A veces basta con percibir el olor del otro para que los animales se muestren inquietos e intenten trepar por la tabla que los separa. En cuanto quite la separación, manténgalos constantemente controlados para ver lo que sucede en su primer encuentro.

Asegúrese de que las tortugas se toleren bien mutuamente. Si los primeros contactos discurren con tranquilidad, luego bastará echar un vistazo de vez en cuando para comprobar que todo va bien. Sin embargo, si se llevan mal desde el primer momento deberá separarlas inmediatamente tanto si se trata de tortugas terrestres como acuáticas.

Observación del cortejo

Tortugas terrestres: La mayoría de los machos son unos «galanes» bastante pacientes que empiezan por rodear a la hembra antes

La época del apareamiento de Testudo marginata *se inicia en marzo tanto en la naturaleza como en invernadero.*

Por favor, no valore el cortejo de sus tortugas **según valores humanos.** Se trata de rituales que han ido evolucionando a lo largo de millones de años.

de establecer el primer contacto con ella. Finalmente, le muerden un poco las patas delanteras y la golpean con el caparazón para «convencerla» de que se detenga y retraiga tanto la cabeza como las extremidades delanteras.

Pero las hembras también se muestran sorprendentemente activas y pueden expulsar a su compañero si este acaba por resultar molesto. Durante estos enfrentamientos suele tener lugar la cópula, momento en el que los machos pueden emitir unos sonidos guturales muy característicos.

Si la hembra no está receptiva, emprende la huida mientras el macho todavía intenta montarla por detrás para el apareamiento. Si no puede librarse del macho, separe a ambas tortugas.

La mejor prueba de que nuestras tortugas están bien cuidadas es que se reproduzcan con normalidad año tras año.

Tortugas acuáticas: Los machos de muchas especies de tortugas acuáticas, como *Chrysemys picta* y *Emydura subglobosa*, son verdaderos especialistas en persecuciones, y en su ritual hacen vibrar las extremidades anteriores. Además de eso *C. picta* sacude rítmicamente la cabeza, mientras que *E. subglobosa* abraza a su compañera pasándole una de las patas delanteras alrededor del cuello. Si la hembra responde positivamente a las demostraciones del macho, le dejará nadar detrás de ella y llegarán a aparearse. Por otra parte, los machos de *Sternotherus* y *Kinosternon* van mucho más directos al asunto. Copulan a su compañera sin cortejo previo y apenas sin presentarse. Probablemente se deba a que viven en aguas muy turbias y cenagosas en las que las hembras no serían capaces de ver y apreciar el cortejo del macho.

Después del apareamiento

A las tortugas acuáticas hay que volver a colocarlas en instalaciones separadas inmediatamente después del apareamiento –o al cabo de dos a cuatro días si se llevan bien–. A la mayoría de las tortugas terrestres también conviene separarlas de inmediato a menos que se disponga de una instalación al aire libre de gran tamaño en la que haya un solo macho y varias hembras, con lo que se evita que este acose siempre a la misma. Hasta que llegue el momento de la puesta, puede intentar volver a juntar a la pareja si nota que muestran interés en ello. Así es posible que se apareen varias veces en cuestión de pocos días, con lo que aumenta la tasa de fecundidad de los huevos. En la naturaleza las hembras suelen aparearse con varios machos.

Advertencia: Las hembras pueden conservar el esperma hasta cuatro años y fecundar con él varias puestas antes de la formación de la cáscara de los huevos sin necesidad de volver a tener contacto con ningún macho.

ternon). En esa época las hembras no toleran intrusos en el lugar que han elegido para desovar y lo defienden de sus congéneres tranquila pero enérgicamente.

Elección del lugar para el desove: La hembra suele elegir un lugar situado en los márgenes de la zona de influencia de la

¿SABÍA USTED QUE...

... generalmente el sexo de las crías depende de la temperatura de incubación de los huevos?

En muchas especies de tortugas el sexo de los embriones no viene determinado genéticamente, como en *Clemmys guttata*, sino por la temperatura de incubación. El tiempo en que se puede definir el sexo varía según las especies, y va desde el momento de la puesta hasta el vigésimo día. En las especies estudiadas hasta ahora, a una temperatura alta nacen una mayoría de hembras y a temperaturas bajas una mayoría de machos.

Observación del desove

Preparar a la hembra: Después del apareamiento deberá ocuparse de proporcionar a la hembra una alimentación muy nutritiva. Necesitará dosis más elevadas de calcio (ver página 71) y al cabo de un par de semanas empezará a buscar un lugar para desovar.

A las hembras de las tortugas acuáticas que nunca suelen salir del agua las encontrará tomando el sol en tierra para que su cuerpo alcance una temperatura idónea para la maduración de los huevos. Es probable que le llame la atención ver que también lo hacen las tortugas del fango (*Sternotherus, Kinos-*

lámpara calefactora, donde la temperatura superficial es de unos 30 °C. Cuando vea que la hembra va constantemente de un lugar a otro, olfatea el suelo, escarba con sus patas traseras y deja de comer es señal de que está a punto de desovar. En esos días, si quiere ser testigo del desove vale la pena que observe lo que hace al atardecer (¡sin ser visto!). Llegado el momento, la hembra cavará un hoyo cuya profundidad será de aproximadamente la mitad de la longitud de su caparazón.

Tamaño de la puesta: Según las especies, las tortugas pueden poner desde un único huevo por puesta, como la tortuga de las grietas, hasta 15-18 huevos, como las tortugas terrestres europeas. El tamaño de la puesta depende tanto de la edad de la hembra y de su vitalidad como de su talla. El desove puede tener lugar una o varias veces al año. Si una tortuga desova varias veces al año, repetirá la puesta –según las especies– a intervalos de varios días o semanas.

Retirar los huevos: No hay que dejar los huevos en el nido –las tortugas no cuidan a sus crías– sino retirarlos cuidadosamente y sin girarlos. Marque la fecha de la puesta con un lápiz blando en la parte superior de cada huevo. Para incubar artificialmente los huevos necesitará una cubeta para colocarlos y una incubadora para introducir la cubeta en su interior. Ahí se desarrollarán los huevos hasta el momento de la eclosión.

Incubación de los huevos de tortuga

Los huevos recogidos en el nido hay que colocarlos en una incubadora. Puede comprarla en una tienda de animales o construírsela usted mismo. Los resultados dependerán tanto de la vitalidad de los embriones como de su habilidad para conseguir las condiciones adecuadas en el interior de la incubadora.

Cubeta para los huevos

La cubeta hará de soporte para los huevos y a la vez les proporcionará la humedad que necesitan. Emplee un recipiente de plástico transparente y llénelo hasta la mitad con vermiculita (de venta en tiendas de animales). En caso de necesidad puede emplear también arena de la empleada en la construcción. Añada agua hasta un nivel de 2 mm para que se humedezca bien el sustrato, entierre los huevos en este hasta la mitad –con la parte superior hacia arriba– y cierre el recipiente con su tapa. En su interior, la humedad relativa del aire alcanzará valores de entre el 90 y 100 %. Abra el recipiente una vez al día y abanique su interior con la tapa para que se renueve el aire.

Asegúrese de que sobre los huevos no caigan gotitas de agua de condensación, ya que mueren si están demasiado húmedos. Para ello, apoye uno de los extremos de la cubeta sobre una caja de cerillas, de modo que quede inclinada y el agua de condensación resbale por el interior de la tapa hacia uno de los cantos.

Incubadora

La incubadora se encargará de proporcionar el calor que necesita la cubeta con los huevos. Puede construirla usted mismo con un simple acuario de plástico en el que colocará dos ladrillos. Llénelo de agua hasta llegar al límite superior de los ladrillos. Pesan bastante, pero retienen muy bien el calor. Apoye la cubeta con los huevos sobre ellos y caliente el agua con un calentador de acuario hasta alcanzar los 28 °C en el interior de la cubeta. La temperatura puede oscilar 1 a 2 °C, pero nunca deberá bajar de los 25 °C ni superar los 30 °C. Tape el acuario con un

SUGERENCIA

Evitar el agua de condensación

En la tapa de la cubeta solamente se condensará agua si se encuentra en un entorno cuya temperatura es inferior a la de su interior. Para evitar esta condensación, coloque su incubadora de construcción casera dentro de una caja de porexpán.

vidrio, pero colocando una pequeña cuña de madera en uno de los extremos para que en caso de formarse condensación las gotitas se deslicen hacia un extremo por debajo del vidrio.

Incubadora de emergencia para imprevistos: Si una de sus tortugas le sorprende con una puesta inesperada, puede preparar rápidamente la siguiente incubadora: coja una maceta y llénela hasta el 80 % con arena de río limpia y húmeda (en caso de necesidad, pídala en una obra). Entierre los huevos en ella y cubra con un vidrio colocando un palillo entre este y el canto superior de la maceta para permitir un poco de ventilación. Añada un poco de agua al plato de debajo de la maceta, así conservará una cierta humedad en la arena. De esta manera evitará que los huevos se deshidraten y tendrá tiempo de preparar una incubadora adecuada.

¿Están fecundados los huevos?

Los aficionados con experiencia pueden ver al cabo de pocos días cuál es el estado de los huevos blandos que ponen las tortugas acuáticas y decidir si están fecundados o no. Para ello se fijan en una franja clara –al principio es sólo un punto– que crece lentamente a lo ancho del huevo.

En las tortugas del genero *Trachemys* es menos acusado, pero siempre se aprecia un cambio de coloración en la parte superior del huevo.

Comprobación del huevo: Se pueden pesar los huevos y mirarlos al trasluz. Los huevos fecundados aumentan de peso, y eso es algo fácil de comprobar pesándolos cada 14 días con un pesacartas. Los huevos estériles se secan lentamente y van perdiendo peso.

Para mirar un huevo al trasluz, sujételo con el pulgar y el índice (¡con la marca hacia arriba!) y colóquelo ante una lámpara de escritorio, pero de forma que lo vea de través y sin que la luz le deslumbre. En los huevos fecundados se pueden ver vasos sanguíneos, y

Cómo hay que incubar los huevos

1 **Las incubadoras comerciales son sencillas,** fiables, precisas, están bien aisladas y se pueden emplear en cualquier momento. En la de la fotografía se puede ver bien la cubeta con los huevos.

2 **Solución provisional.** Una maceta puede resultarnos muy útil cuando una tortuga desova inesperadamente. Así se evita que los huevos se deshidraten y se produzca la muerte de los embriones. Si los huevos están en buenas condiciones, aguantarán perfectamente.

más adelante se apreciará un oscurecimiento progresivo –¡el caparazón del embrión!– En los huevos estériles se ven dos zonas claras diferentes, que corresponden respectivamente a una burbuja de aire muy clara y a los restos del saco vitelino que se va secando lentamente.

Cuestión de paciencia: No abra nunca un huevo, ya que en muchas especies los embriones pueden tardar más de la cuenta en desarrollarse, prolongando bastante el período de incubación. Si usted abre el huevo antes de hora pondrá en peligro la vida del embrión. Si el huevo está realmente mal (embrión muerto), acabará por estallar.

Eclosión

Sabrá que se acerca la eclosión cuando vea finas grietas en la cáscara del huevo. Una tortuguita sana puede tardar de uno a tres días en salir completamente del huevo, regresando repetidamente a su interior para coger fuerzas. No se le ocurra ayudarlas, ya que suelen tener todavía parte del saco vitelino y las podría lesionar. Después, los neonatos todavía tendrán que permanecer en la incubadora durante algunos días hasta que hayan completado la absorción del saco vitelino. Pero para ello es necesario que la cubeta de incubación sea lo suficientemente espaciosa. Lo mejor es emplear otra cubeta, cubrir el fondo con papel de cocina y colocar las crías en ella. Esta cubeta se mantendrá en la incubadora. Si la tortuguita no llega a salir del huevo o el embrión muere a mitad de su desarrollo, en el 99,9% de los casos se debe a una falta de vitalidad del embrión, que está más relacionada con la alimentación y la vitalidad de la madre que con el funcionamiento de su aparato reproductor.

Crianza de los juveniles

Mantenga a los juveniles y neonatos separados de sus padres. Sus necesidades en cuanto a luz, temperatura y alimento son las mismas que las de los adultos. Los neonatos, después de la eclosión –o después de la absorción del saco vitelino– necesitarán todavía una semana de tiempo antes de empezar a comer. Durante este tiempo su metabolismo sufrirá los cambios necesarios para pasar de la digestión del saco vitelino a poder digerir alimentos sólidos. Tanto si se trata de una tortuga terrestre como de una acuática, las crías deberán poder tomar baños de sol cuando lo deseen. Téngalo en cuenta a la hora de establecer las medidas de la instalación de crianza. Vale la pena que sea un terrario portátil, ya que así podrá sacarlo a la terraza o al balcón para que sus tortuguitas tomen el sol. Para evitar un sobrecalentamiento, cubra una tercera parte con una esterilla que a la vez proporcione sombra.

Si va a mantener a las crías en la instalación al aire libre, deberá protegerla de las aves (ver página 46). Asegúrese de que reciban radiación solar directa, ya que los rayos UV no pasan a través del vidrio (ver sugerencia más abajo).

Crianza de las tortugas acuáticas: A sus crías puede cuidarlas juntas en un acuario acondicionado del mismo modo que el de los adultos. También puede emplear para ello el acuario de cuarentena (ver página 60).

Escondrijos: Las tortugas acuáticas juveniles todavía no han desarrollado el instinto territorial, por lo que se toleran mutuamente. Lo importante es que no tengan que competir entre sí. Dado que son muy tímidas y confían en su camuflaje para pasar desapercibidas, es importante que haya más escondrijos que tortugas.. Deje que se reú-

Las primeras horas

egó la hora

ué induce al embrión a
ir del huevo? Cuanto
yor sea, más oxígeno
nsumirá. En cuanto la
scara del huevo no deje
sar suficiente aire como
ra cubrir sus necesidades,
mperá la cáscara para salir
exterior.

Un duro comienzo

El embrión posee un «diente de huevo» que le permite cortar la membrana interna y conseguir así que la cáscara se rompa. Así abre un orificio por el que puede respirar aire fresco, y esto a su vez le permite acumular fuerzas.

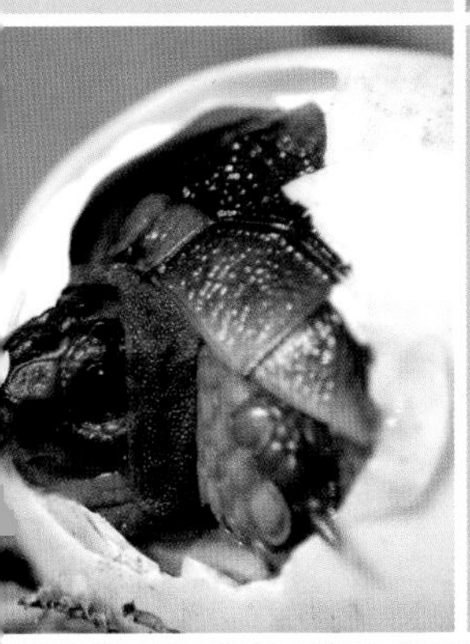

La luz del mundo

Al ganar fuerza, la tortuguita empieza a apretar la cáscara con su cabeza abriendo una abertura cada vez mayor para empezar a estirar las patas delanteras. En medio siempre necesita largas fases de recuperación.

espertar a la vida

salir del huevo se aprecia
ramente cómo estaba
blado el embrión en su
erior. El pliegue del
astrón se alisará a lo largo
l primer día. Es posible
e aún tenga restos del
co vitelino, pero los
nsumirá en poco tiempo.

Una eclosión lenta

Desde que empieza a cortar la cáscara hasta que se asoma al exterior, pueden pasar entre uno y tres días. La duración del proceso depende del grosor de la cáscara y de la energía de la tortuguita. Es raro que se quede realmente estancada.

nan varias en un mismo escondrijo, siempre y cuando no haya peleas al repartirse el espacio. A las crías les encantan las islas flotantes (ver página 40). No sólo les ofrecen refugio y hacen que el agua tenga más sombra, sino que les brindan amplios refugios bajo los cuales pueden moverse libremente. Pero la mitad de la superficie deberá quedar despejada para que las tortuguitas puedan tomar el sol en flotación.

Alimentación: La mejor alimentación que puede ofrecerle a las crías durante las primeras cuatro y hasta las ocho semanas es una dieta a base de pulgas de agua vivas, larvas de mosquito y lombrices de tierra. Así las tortuguitas no sólo recibirán una dieta muy nutritiva sino que además desarrollarán su instinto de caza. Más adelante podrá darles alimento congelado y pequeños peces (ver alimentación, página 65 y siguientes). Pronto se dará cuenta de que las que devoran el alimento con rapidez crecen más deprisa que las que comen lentamente. Las grandes no tardarán en tener ventaja para obtener el alimento e intimidarán a las más pequeñas. Cuando note esto, sepárelas por tamaños para que todas puedan comer lo que les corresponde. También es conveniente pesarlas con frecuencia. Para identificar a cada una de las tortuguitas puede pintarles marcas con laca de uñas.

La alimentación de las crías es muy delicada, ya que usted tendrá que comprobar la proporción de calcio y fósforo de su dieta y añadirle calcio (ver página 71) y luz solar (radiación UV). De lo contrario no tardarán en aparecer malformaciones del caparazón que serán imposibles de curar.

Pare el filtro mientras haya presas vivas en el agua o alimento en flotación, así el filtro no los succionará ante las narices de las tortugas.

Crianza de tortugas acuáticas: Puede mantener a las crías en un terrario cuya instalación y equipo técnico se basen en las necesidades específicas de esas tortugas.

Escondrijos: Las crías de las tortugas terrestres pasan mucho tiempo ocultas, y generalmente en grupo. Dado que son muy pequeñas y pueden deshidratarse con facilidad, es importante proporcionarles escondrijos subterráneos profundos y húmedos. Para ello bastará con colocar una capa de tierra de jardín o de castaño de unos 6 u 8 cm de espesor.

También a las tortugas terrestres les conviene mucho crecer con luz solar directa, ya que esa es la mejor forma de evitar la carencia de vitamina D_3 y la aparición de enfermedades como el raquitismo (ablandamiento de los huesos). Generalmente, para cubrir las necesidades de vitamina D_3 de un juvenil bastará con que tome el sol de 10 a 20 minutos diarios con el cielo despejado.

Alimentación: Deberán tener alimento a su disposición durante todo el día, y para que crezcan bien es indispensable que este sea de buena calidad. Al igual que con las

SUGERENCIA

En el invernadero no hace falta luz UV

El vidrio, el plexiglás antiguo y las planchas dobles de policarbonato no dejan pasar la radiación UV-B de la luz solar, que es la sana, por lo que esta no llegará a los animales. Por este motivo, a los animales que vivan siempre en el invernadero habrá que dejarlos que tomen el sol directamente de 10 a 20 minutos diarios.

▲
Los baños de sol son vitales desde el primer día. Solamente así la tortuga podrá desarrollarse sana y fuerte.

tortugas acuáticas, con las terrestres también es muy importante controlar la proporción de calcio y fósforo (ver página 66), así como asegurar la disponibilidad de calcio (ver página 71) y radiación UV (ver página 42). Los juveniles de algunas especies (como, por ejemplo, la tortuga de las grietas) es frecuente que coman los excrementos de sus padres. Probablemente lo hacen para obtener los microorganismos necesarios para que su flora intestinal pueda digerir las fibras vegetales. Deles alguna vez excrementos de sus padres y observen si se los comen. En el caso de que no, retírelos.

Cuestiones acerca de la reproducción de las tortugas

¿Qué ventajas ofrecen los grupos de cría?

Mantener a las tortugas en instalaciones individuales requiere más espacio del que algunas veces podemos ofrecerles. La ventaja de pertenecer a un grupo de cría es que usted podrá obtener descendencia de su tortuga sin tener que construir una instalación muy amplia. Y podrá sacar adelante a las crías. Estos grupos de cría suelen basarse en unas reglas tan claras como sencillas: el que disponga de la mejor instalación se encargará de mantener a la pareja, pero sin hacerse responsable de posibles imprevistos en el caso de que la tortuga llegase a enfermar o muriese. Las crías se reparten de modo que el propietario de la hembra recibe la primera, el del macho la segunda, y así en adelante. Cada uno eligirá sus crías del grupo. También pueden repartirse los huevos para que cada uno se encargue de incubar los suyos. Los gastos de alimentación de la tortuga se saldan con el reparto de las crías. Pero si hace falta acudir al veterinario, cada uno correrá con los costes de su tortuga.

¿Qué es eso de que las tortugas a veces se hinchan? Me lo han advertido porque he comprado una cría que come mucho.

Esta expresión hace referencia a los juveniles que manifiestan un desarrollo anormal a causa de unos cuidados inadecuados. Si su alimentación es demasiado pobre en fibra (fibra vegetal cruda), y demasiado rica en proteínas, y la instalación es demasiado oscura y demasiado cálida, entonces los juveniles se hinchan como copos de avena. El caparazón no lo tolera bien, se ablanda y se hunde o se abomba. Y este proceso aún se acelera más si los juveniles no hibernan y siguen cebándose durante todo el invierno. Asegúrese de que los juveniles coman lo que realmente necesitan (ver página 122 y siguientes) y que hibernen si les hace falta (ver página 99).

¿A qué velocidad debería crecer mi tortuga?

En los animales sanos, el crecimiento es bastante rápido durante el primer año y luego se ralentiza progresivamente de año en año. Algunas especies siguen creciendo incluso a edades muy avanzadas. Otras, como las del genero *Terrapene*, dejan de crecer dos años después de alcanzar la madurez sexual. Emplee una regla para averiguar si su tortuga crece con normalidad. El plastrón de las especies del genero *Terrapene* crece un 70 % en el primer año, un 30 % en el segundo y un 20 % en el tercero. Estos valores pueden oscilar un poco en ambos sentidos, pero a condición de que el caparazón se conserve duro y sin malformaciones, que la tortuga se muestre vivaz y que al retraer las extremidades no se vean

acumulaciones de grasa. También es de agradecer que en muchas especies las hembras crezcan con más rapidez que los machos y alcancen un tamaño mayor que el de estos (ver datos en las descripciones de especies, página 22 y siguientes).

¡Me he hecho un lío con todas las leyes que regulan la posesión y el comercio de las tortugas! ¿Cómo están las cosas en la actualidad?

Para conocer el estado actual de la legislación en su lugar de residencia, lo mejor que puede hacer es consultar a las autoridades locales, informarse en una asociación herpetológica local o preguntar en una tienda especializada en terrarios.
En Europa rige la Normativa Europea, que se aplica en los países miembros de la UE. Las especies que gozan de mayor protección se incluyen en el Anexo A, al que le siguen los Anexos B, C y D.
El convenio CITES, cuyas siglas corresponden a «Convention on International Trade in Endangered Species of Wild Fauna and Flora», regula el tráfico y comercio de especies protegidas fuera de la UE. Según el grado de protección, las especies se incluyen en los Apéndices I, II o III.

En la lista de precios de un criador he encontrado la siguiente oferta: «Thb, 1,0 juv.» ¿Qué significa esto?

Se trata de una jerga que ahorra muchas explicaciones a los que la conocen. Lo primero que se indica es la abreviación del nombre de la especie, en este caso la tortuga mediterránea *Testudo hermanni boettgeri* (Thb).
Existen otras abreviaciones para las especies más frecuentes (Thh: *Testudo hermanni hermanni*;
Tm: *Testudo marginata*;
Tg: *Testudo graeca*;
Th: *Testudo horsfieldii*).
Los números significan lo siguiente: 1,0 = un macho; 0,1 = una hembra; 0,01 = un juvenil de sexo indeterminado; 1,1,3 = una pareja con tres crías. Juv. significa juvenil, es decir, que todavía no ha alcanzado la madurez sexual. Todas estas abreviaciones suelen emplearse habitualmente en las listas de precios.

8.

¿Qué hacer cuando surgen problemas?

La mayoría de los problemas que pueden aparecer en el cuidado de las tortugas suelen deberse a errores de mantenimiento. Estos le serán más fáciles de evitar cuanto mejor conozca usted el comportamiento de sus animales.

Cómo solucionar los roblemas de mantenimiento

Si usted cuida a su tortuga teniendo en cuenta las exigencias de su especie, esta debería ntenerse siempre en perfectas condiciones. Pero a veces es posible que surjan problemas que cesiten ser solucionados de inmediato para evitar males mayores.

LA MEJOR FORMA DE EVITAR problemas es seguir las recomendaciones que se dan en esta guía.

En la instalación hace demasiado frío

Puede suceder que no haya lámpara calefactora, o que se haya estropeado. Las corrientes de aire también enfrían mucho el ambiente. En esos casos la tortuga puede pasar días e incluso semanas sin poder alcanzar la temperatura corporal que necesita. Entonces se altera su actividad enzimática, el animal no puede digerir los alimentos y estos se descomponen en el intestino. El sistema inmunitario se debilita y la tortuga es más propensa a contraer enfermedades. Las consecuencias del frío suelen ser diarreas, neumonía, inflamación de los párpados (glándulas de Harder) y otitis.

Mi consejo: La tortuga tiene que poder alcanzar su temperatura idónea por lo menos una vez al día. Controle el termómetro a diario.

En la instalación hace demasiado calor

A lo mejor a su terrario le da el sol directamente, la lámpara calefactora es demasiado potente o la cubierta no permite una buena ventilación del interior. Su tortuga terrestre intenta inútilmente huir de la instalación. Al no lograrlo, se entierra y permanece amodorrada, o se queda durante todo el día en el recipiente del agua. Si una tortuga acuática encuentra el agua demasiado caliente, intenta refrescarse saliendo a tierra.

El calor excesivo debilita el sistema inmunitario y el animal puede enfermar gravemente. Si su tortuga muestra alguno de estos comportamientos, compruebe inmediatamente las temperaturas.

Bloqueo total. Así es capaz de protegerse una tortuga terrestre cuando se retrae en su caparazón.

Si la tortuga recorre el te rario a lo largo del vidri frontal es posible que la causa haya que ir a busc la en el microclima inter Compruébelo a fondo.

Mi consejo: Nunca coloque el terrario de forma que le pueda dar el sol directamente. Y échele un vistazo a los termómetros varias veces al día.

Problemas con la luz

Baño de sol permanente: Su tortuga se queda siempre debajo de la lámpara calefactora. Empiece por controlar si en la instalación hace demasiado frío o si la tortuga es una hembra que busca calor para favorecer el desarrollo de los huevos (ver página 117). Descartados ambos casos, puede ser que ese comportamiento indique que la tortuga está enferma –especialmente si al cogerla se muestra apática–. Llévela al veterinario lo antes posible.

Mi consejo: Las tortugas sanas solamente se exponen al sol directo o a la lámpara calefactora para alcanzar la «temperatura de funcionamiento» que necesita su organismo. Esta disminuye lentamente cuando se aparta de la zona caliente, pero la recupera al volver a tomar el sol.

¿Cuánta radiación UV necesita? El exceso de UV puede resultar perjudicial para su tortuga. La radiación beneficiosa para el organismo es la UV-B, que sólo es una fracción de la zona ultravioleta del espectro. En las tortugas, al igual que en las personas, permite la producción de vitamina D_3 en la piel. Si falta vitamina D_3, los huesos no pueden fijar el calcio y aparece el raquitismo, que se manifiesta especialmente en el caparazón.

Hace algunos años, el experto Bernd Hopp calculó que si una tortuga permanece durante seis minutos con las extremidades extendidas bajo una lámpara UV de 300 vatios puede sintetizar suficiente vitamina D_3 para todo el día. La lámpara deberá estar colgada a 25 cm por encima del animal, y la intensidad de su radiación equivale a la de un día de verano. La tortuga estará expuesta a una temperatura soportable.

Estos datos los he tenido en cuenta a la hora de formular las recomendaciones que aparecen en este libro. Colocando la lámpara UV a unos 60-80 cm de la tortuga hará falta una irradiación de entre 10 y 20 minutos diarios, y en la práctica hemos podido comprobar que es suficiente. Si la exposición es más prolongada, se produce un exceso de vitamina D_3 que puede resultar perjudicial. La radiación UV también penetra un poco en el agua, lo cual es importante para las tortugas acuáticas. Si el agua está muy limpia, las tortugas que naden a 20 cm de profundidad recibirán un 50 % de la radiación UV que incide sobre la superficie.

Mi consejo: Emplee radiación UV natural o de lámpara, pero no la sustituya nunca por gotas de vitamina D_3. No son un buen sustituto. Además, su animal podría sufrir una intoxicación por sobredosis (ver página 71).

Comportamiento inquieto en tierra o en el agua

Usted tiene un solo animal: Ya ha descartado que su tortuga pueda sufrir retención de huevos (ver página 97) y se ha asegurado de que la instalación esté a la temperatura correcta. No hay ninguna otra tortuga, ni en ese terrario ni en las proximidades. Entonces el comportamiento podría deberse a alguno de estos factores: corrientes de aire, vibraciones producidas por electrodomésticos o equipos de música, olores intensos como el de la chimenea o el tabaco.

Mi consejo: Si ha comprobado que la causa está en uno de los factores citados, en el ca-

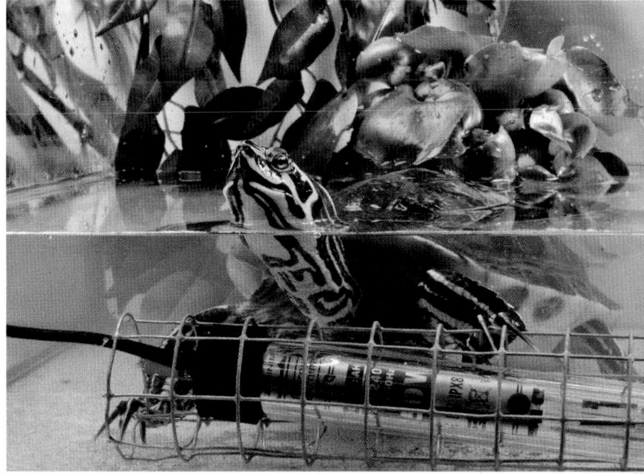

Para que se encuentre mejor

1 **Un calentador de acuario ayudará** –junto con el calentador integrado en el filtro– a mantener el agua a la temperatura adecuada. La reja protectora impide que la tortuga pueda llegar a tocarlo y quemarse.

2 **Un escondrijo sombrío** le ofrece seguridad y recogimiento. Si siempre tiene cerca algún refugio de estas características se mostrará mucho más relajada y confiada durante el día.

1 **Cuando una tortuga se da la vuelta** es perfectamente capaz de recuperar la posición por sí sola, pero para ello necesita un punto de apoyo al que sujetarse con una pata.

2 **Un obstáculo como este tronco** le permitirá darse impulso y aterrizar sobre las cuatro patas.

3 **Cuando recupera su posición** no tarda en olvidarse de todo lo sucedido. Si no encuentra un punto de apoyo puede seguir haciendo esfuerzos hasta morir de agotamiento.

so de que no sea solucionable deberá trasladar el terrario de la tortuga a un lugar más adecuado.

Usted tiene dos animales: Ambas tortugas viven en la misma instalación, pero sólo una de ellas parece querer salir de la instalación y recorre constantemente el borde del vidrio. ¿O acaso se esconde, permanece amodorrada y deja de comer? Parece ser que sus animales no se llevan bien. A lo mejor usted no ha llegado a presenciar las persecuciones, pero parece como que la simple presencia de la tortuga dominante baste para intimidar a la otra.

Si usted alguna vez ha cambiado de acera para no toparse con alguien a quien no soporta, entenderá perfectamente a qué nos referimos.

Ha de separar a los animales de forma que no puedan verse ni olerse. Pronto notará que su tortuga depresiva se muestra mucho más alegre y vivaz.

Mi consejo: Hay miradas que matan –en el sentido literal de la expresión– y eso es lo que puede sucederle a la tortuga dominada si no tiene posibilidad de huir. Por eso es tan importante que no puedan llegar a verse.

Eliminar peligros dentro de casa...

... para tortugas acuáticas

- Los animales pueden engancharse en piedras y raíces situadas bajo el agua y acabar ahogándose. Piense en esto cuando acondicione la instalación de la tortuga.
- Si el nivel del agua no es por lo menos tan alto como la anchura del caparazón, si la tortuga quedase accidentalmente patas arriba no podría darse la vuelta y se ahogaría.
- Si el calentador no está debidamente protegida, las tortugas pueden esconderse detrás de él para descansar y sufrir graves quemaduras.
- Las tortugas pueden comerse la gravilla de 3 a 5 mm que habitualmente se emplea en los acuarios con peces. No se sabe exactamente por qué lo hacen, pero podría deberse a una falta de minerales. También podría ser para tener piedras en el estómago que les faciliten la digestión. Dado que este tipo de gravilla causa la muerte de muchas tortugas por oclusión intestinal, será mejor prescindir de ella.

... para tortugas terrestres

- Pueden quemarse con lámparas que estén demasiado bajas.
- Pueden quedarse atrapadas o enterradas bajo piedras o construcciones rocosas poco estables.
- Comer arena o gravilla es tan peligroso para las tortugas terrestres como para las acuáticas. Pueden morir al llenarse el tracto intestinal de arena. Las tortugas que comen mucha tierra sufren falta de minerales. Pero comer ocasionalmente tierra vegetal no les causa ningún daño, ya que es de origen orgánico.

Eliminar peligros en la instalación al aire libre

- Las tortugas pequeñas y las crías pueden ser presa de las aves, y por la noche también de gatos y ratas. Proteja la instalación con una valla de 1m de altura y cúbrala con una malla protectora.
- Si la instalación y su jardín no son completamente a prueba de fugas es posible que la tortuga llegue a escaparse (ver página 132).
- Si el suelo de la instalación al aire libre es de arena o arcilla existe el riesgo de que la tortuga coma trocitos que acaben causándole una oclusión intestinal. Es importante que la tortuga reciba una dieta lo suficientemente rica en minerales como para cubrir sus necesidades.

Mi consejo: Para que todo salga bien, monte su instalación al aire libre siguiendo las indicaciones que le doy en este libro. A los animales no les pasará nada por comer ocasionalmente un poco de tierra, pero si lo hacen con frecuencia y en grandes cantidades habrá que acudir al veterinario.

SUGERENCIA

Prever su comportamiento

Evalúe la actividad de su tortuga terrestre europea en función de la época del año. En verano, por ejemplo, desplazan sus fases de actividad a las primeras horas de la mañana y las últimas de la tarde. Si toma notas de su comportamiento a lo largo del año, sabrá a qué atenerse en cada momento.

MI MASCOTA

¿La lámpara de UV les sirve de algo a mis tortugas?

La mejor lámpara de UV resultará completamente inútil si su tortuga no se coloca debajo. Haga una prueba para ver cuánto tiempo pasa desde que enciende la lámpara hasta que la tortuga acude y se coloca bajo la radiación.

Empieza la prueba:

Anote el tiempo que transcurre entre que se enciende la lámpara y que la tortuga se coloca debajo de ella. Generalmente son sólo un par de minutos. Pero si transcurre un cuarto de hora, prolongue el tiempo de encendido de la lámpara para que la tortuga pueda recibir la radiación UV por lo menos durante 10 ó 15 minutos. Si tiene varias tortugas, asegúrese de que todas puedan disfrutar por igual de la radiación de la lámpara.

Mis resultados:

Su tortuga se ha fugado de la instalación al aire libre

La mayoría de las tortugas acuáticas y terrestres son perfectamente capaces de trepar por una valla de tela metálica o de excavar una galería por debajo de ella y fugarse. Existen muchos motivos que pueden inducirles a ello: un agua demasiado fría en el estanque, alimentación poco variada o estrés debido a una tortuga dominante. En estos casos, el animal lo único que quiere es irse de allí. Sin embargo, creo que en la mayoría de los casos lo hacen por curiosidad, para ampliar su territorio o porque aprovechan algún punto débil del cercado.

En este último caso tiene bastantes probabilidades de recuperarla, ya que la tortuga se siente muy ligada a su hogar: allí es donde se siente segura y donde encuentra su alimento. Dado que en sus trayectos se orienta por la posición del sol y la orografía del terreno, generalmente también encuentra el camino de regreso a casa. Tenga en cuenta que en la naturaleza el terreno que recorre una tortuga terrestre en busca de alimento puede ser fácilmente de una hectárea.

La fuga podría convertirse en un problema si la tortuga luego no es capaz de encontrar el agujero por el que ha salido y se ve obligada a quedarse en el exterior del cercado de su instalación o del jardín. Si a todo esto se hace de noche, es muy probable que se decida a pasarla junto al exterior de la valla. Y allí es donde podrá encontrarla el día siguiente a primera hora de mañana.

Mi consejo: Construya un cercado lo suficientemente alto, que no permita ver hacia el exterior y que se apoye en una base sólida para frustrar cualquier intento de fuga.

La tortuga se muestra retraída

Si descarta que el comportamiento de su tortuga pueda deberse a que el clima de la instalación no es el adecuado, compruebe estas tres posibilidades:

Sensibilidad a los cambios meteorológicos: La tortuga permanece en su refugio durante los días frescos y cubiertos, y no sale ni siquiera para comer. Pero en cuanto sale el sol y vuelve a hacer calor, se pone de nuevo en marcha.

Mi consejo: Ayúdela dejando la lámpara calefactora encendida durante más horas, o aumente su intensidad colocándola un poco más baja

Reposo estival: Durante los meses más calurosos, las especies de las regiones esteparias (como la tortuga rusa) cavan galerías subterráneas de varios metros de longitud y se refugian en ellas. De este modo, en su hábitat natural pueden soportar períodos tórridos y con falta de alimentos. Durante el reposo estival no comen.

En condiciones extremas es posible que estos animales, que también hibernan, solamente estén activos durante unos tres meses al año: pasan directamente del reposo estival a la hibernación y duermen casi de un tirón.

Otras especies que también efectúan un período de reposo estival son *Malacochersus tornieri* (ver página 29), *Kinosternon baurii* (ver página 25) y las especies del genero *Pelomedusa* (ver página 30).

Hibernación: La mayoría de las tortugas de la zona templada inician la hibernación entre octubre y noviembre (ver página 86 y siguientes). Dado que se trata de un comportamiento que llevan grabado en sus genes, no hay que interrumpirles este ciclo anual.

Cuando una tortuga excava con sus patas delanteras es que quiere hacer una madriguera para esconderse bajo tierra.

Mi consejo: Han de hibernar tanto los adultos como los juveniles. Las crías que nazcan en octubre podemos cebarlas durante tres o cuatro meses y luego dejarlas hibernar durante un breve período de tiempo.

La tortuga se hace vieja

Su tortuga puede acompañarle durante toda la vida. Se sabe de muchas tortugas terrestres europeas, y también las hembras de algunas especies acuáticas como *Clemmys guttata*, que han llegado a los 120 años de edad. Los machos de estas tortugas acuáticas «sólo» llegan a vivir unos 60 años, y muchas otras especies superan habitualmente los 30 años de edad.

Todos estos datos hacen referencia a animales mantenidos en cautividad, y constantemente aparecen nuevos récords. Las tortugas que viven en la naturaleza están expuestas a enfermedades y predadores, así como a las consecuencias de la agricultura, la construcción de carreteras y los asentamientos humanos, por lo que su esperanza de vida es de aproximadamente la mitad.

¿Cómo se manifiesta la vejez? Cuando una tortuga es vieja ya apenas se aprecia su crecimiento y su coloración no es tan vistosa como la de los juveniles. La piel y el caparazón adquieren una coloración más uniforme y una tonalidad más oscura, es lo que algunos definen como «gerontomelanismo».

Sin embargo, las tortugas conservan su vitalidad hasta edades muy avanzadas. He sabido de hembras que seguían poniendo huevos a la edad de 60 años.

La tortuga se muere

La muerte de la tortuga siempre supone un gran disgusto, especialmente para los niños. Muchos querrán dedicarle una pequeña ceremonia de despedida con los padres y enterrarla en un rincón del jardín. Si no dispone de jardín, busque algún lugar adecuado en el bosque. Pero asegúrese de que no esté prohibido. Entiérrela por lo menos a 50 cm de profundidad y cubra el cuerpo con tierra.

Entre esta cría y el ejemplar adulto hay por lo menos veinte años de diferencia.

En caso de que desee conocer la causa de la muerte de su animal, en vez de enterrar a la tortuga deberá enviarla a un lugar adecuado (Facultad de Veterinaria, zoológico, veterinario especializado en reptiles, etc.) para que se le efectúe una necropsia. En algunos casos, el diagnóstico de la necropsia nos puede permitir mejorar las condiciones en que mantenemos a nuestros animales.

Informaciones en Internet

Internet se ha convertido en una importante fuente a la que acudir en busca de información sobre tortugas. Entre una palabra en un buscador e inmediatamente se encontrará con centenares o miles de entradas sobre ese tema. Pero, ¿cómo conseguir una buena visión de conjunto?

Las páginas de museos, asociaciones especializadas, institutos de investigaciones científicas y otras organizaciones similares le ayudarán a mantenerse al día tanto sobre los conocimientos herpetológicos como sobre la legislación vigente. También existen muchos foros especializados.

Hace 100 años, en las salas de conferencias de las universidades se producían discusiones que eran cualquier cosa menos científicas. Y lo mismo sucede hoy en día en los foros de Internet. No hay más que ver los enfrentamientos entre grupos con distintas opiniones. Para evitarlo, guíese por las directrices del recuadro de esta página. No siempre resulta fácil, pero así podrá mantener una discusión seria y ordenada en cualquier foro.

RECUERDE

Ayuda de Internet

Un comentario puede apoyarse en una base científica o no ser más que una simple opinión. Si efectúa las siguientes comprobaciones le resultará fácil apreciar la diferencia.

- Compruebe las afirmaciones consultando páginas web de organizaciones reconocidas internacionalmente en el campo de las tortugas, o acudiendo a la bibliografía especializada. Las buenas páginas web y los foros serios suelen reconocerse por su estilo y por el tono de los comentarios.
- Una comunicación científica seria siempre irá acompañada de datos que la corroboren, de la descripción de los métodos empleados y de otros elementos de apoyo tales como fotografías y citas bibliográficas de artículos o libros relacionadas con el tema y que cualquiera pueda consultar.
- Cuando existe una diferencia de opiniones, se fundamenta la propia apoyándola con datos científicos en vez de atacar al oponente. Este también podrá intentar convencerle a usted de sus teorías.
- A veces también se puede trabajar partiendo de una opinión no confirmada. Es lo que se denomina «hipótesis de trabajo», que sirve de base para muchas discusiones y trabajos.

Ficha para el cuidador ocasional

Cuando usted se vaya de vacaciones dejará el cuidado de su tortuga a cargo de otra persona. Aquí puede anotarle todo aquello que deba saber sobre ella para poder cuidarla lo mejor posible. Así el animal estará bien cuidado y usted podrá disfrutar plenamente de sus días de descanso. Esta ficha también puede resultarle útil en caso de enfermedad.

Mi tortuga se llama:

Esta es la especie a la que pertenece:

Su comportamiento habitual es este:

Cosas que le gustan:

Cantidad diaria:

Esta cantidad xx veces a la semana:

Come golosinas en ocasiones:

Le doy de comer a estas horas:

Guardo la comida en:

Tareas de limpieza:

Cada día hay que limpiar:

Una vez a la semana hay que limpiar:

De esto depende su bienestar:

Cosas que hay que controlar cada día:

Esto no le gusta nada:

Lo que mi tortuga no debe hacer:

Esto también es importante:

Su veterinario:

Mi teléfono y mi dirección durante las vacaciones:

Bienvenido al mundo de las tortugas

El día es largo y la tortuga efectúa largos recorridos para conseguir toda su alimentación. La variedad le conserva la salud y los desplazamientos la ayudan a mantenerse en buena forma física. Y un buen baño de sol aumenta su vitalidad.

El robusto caparazón de las tortugas adultas hace que estas se sientan seguras en campo abierto. Allí les gusta permanec para tomar el sol. Cuando ya tienen suficiente se ocultan a la sombra, y lo mismo hacen las juveniles.

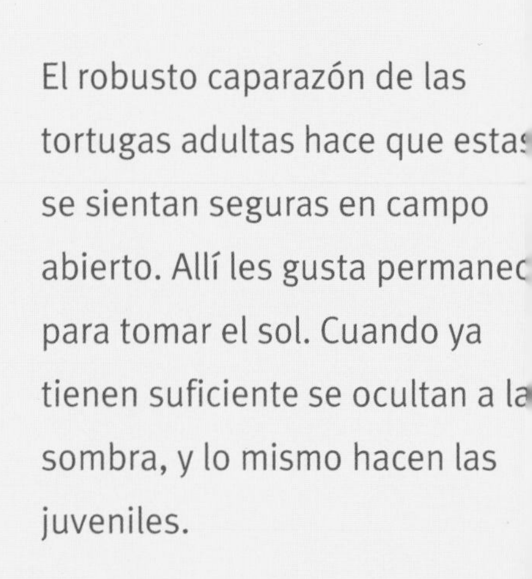

La mayoría de las tortugas acuáticas son muy buenas nadadoras. El medio acuático les ofrece refugio y alimentos en abundancia.

TEST

¿Conoce bien a su tortuga?

	sí	no
1. ¿Son las tortugas animales solitarios fuera de la época de la reproducción?	○	○
2. ¿Las tortugas pequeñas se sienten desprotegidas en campo abierto si no encuentran posibilidades para esconderse?	○	○
3. ¿Se pueden emplear vitaminas para sustituir la luz solar?	○	○
4. ¿Las tortugas acuáticas son capaces de oler bajo el agua?	○	○
5. ¿Las tortugas ven bien de lejos?	○	○
6. ¿Las parejas siempre se llevan bien durante la época del apareamiento?	○	○
7. ¿Las tortugas pueden alimentarse siempre a base de piensos preparados sin presentar estados carenciales?	○	○
8. ¿El heno es realmente un buen alimento para las tortugas terrestres?	○	○
9. ¿Las tortugas de orejas rojas pueden hibernar en un estanque de jardín?	○	○
10. ¿La tortuga necesita tener siempre calcio a su disposición?	○	○

SOLUCIÓN: 1. Sí, 2. Sí, 3. No, 4. Sí, 5. No, 6. No, 7. No, 8. Sí, 9. No, 10. Sí.
¿Ha sido capaz de contestar correctamente todas las preguntas? En caso afirmativo, ¡felicidades! Usted sabe mucho de tortugas. Pero si no es así, esta guía práctica le ayudará a conocerlas mucho mejor.

atisfacción para todos los días

. Alimentada con cariño

ıa buena alimentación

- Las tortugas terrestres necesitan heno fresco durante todo el año. Siempre han de tenerlo a su alcance.
- Compruebe su alimentación pesando a la tortuga periódicamente y anotando todos los datos en una libreta.
- Alimentar a la tortuga siguiendo un horario (ver a partir de la página 60) durante su fase de actividad.
- Cuidar especialmente la alimentación de las hembras que estén ovulando y añadir calcio.

2. Limpieza doméstica a fondo

› Cuidados fundamentales

- Retirar diariamente los excrementos y restos de comida.
- Renovar cada cuatro o cinco meses la tierra del terrario así como la de los lugares en que come y defeca en la instalación al aire libre.
- Comprobar mensualmente el funcionamiento del filtro y limpiarlo a fondo cada dos o tres meses.
- Lavar los comederos diariamente con agua a 60 °C y un cepillo. Renovar cada día el agua para bañarse.

. Más bienestar

ı hogar adecuado

- Las dimensiones del terrario y/o instalación al aire libre deberán estar en consonancia con el tamaño de la tortuga, su actividad y el número de ejemplares.
- Déjeles tomar el sol al aire libre siempre que le sea posible.
- Si las tortugas viven siempre dentro de casa necesitarán una lámpara calefactora y otra de rayos UV.
- Eche un vistazo por la mañana y otro por la tarde. ¿Está todo bien?

4. Sana y feliz

› Hay que controlar su salud periódicamente

- Coja la tortuga una vez a la semana y examine a fondo su caparazón y sus pliegues cutáneos.
- Examine diariamente el olor y la consistencia de sus heces y su orina.
- Examine la tortuga a diario siguiendo los puntos que se describen en la página 58 .
- Lleve la tortuga al veterinario una vez al año para que la examine –por lo menos tres meses antes de la hibernación–.

ÍNDICE ALFABÉTICO

Los números de página expresados en **negrita** corresponden a las ilustraciones.

Título de la edición original:
Meine Schildkröte

Editorial Hispano Europea, S. A.
Primer de Maig, 21 - Pol. Ind. Gran Via Sud
08908 L'Hospitalet - Barcelona, España.
E-mail: hispanoeuropea@hispanoeuropea.com

Depósito Legal: B. 475-2010

ISBN: 978-84-255-1919-2

EL FOTÓGRAFO:
Christine Steimer es fotógrafo *freelance* y se ha especializado en animales domésticos. Trabaja para editoriales, revistas y agencias de publicidad a nivel internacional.
Todas las fotografías de este libro son obra de Christine Steimer, a excepción de:
Uwe Anders: pág. 26 abajo, pág. 28 arriba.

ADVERTENCIAS IMPORTANTES
Aparatos eléctricos: Todos los aparatos eléctricos descritos en este libro deberán contar con la correspondiente homologación. Tenga en cuenta el peligro que supone manipular aparatos eléctricos en un medio húmedo o en el agua. Es recomendable instalar un diferencial o un fusible de seguridad.
Higiene: Preste especial atención a su higiene personal y lávese bien las manos antes y después de tener contacto con los animales.

AGRADECIMIENTO:
El editor y el autor desean expresar su agradecimiento a la Dra. med. vet. Renate Keil por su aportación en «Enfermedades más frecuentes», páginas 93 a 97.

ACERCA DEL AUTOR
El Dr. Hartmut Wilke es biólogo y ha acumulado una gran experiencia práctica con las tortugas durante sus años como director del Exotarium del Zoo de Frankfurt y como director del Zoo de Darmstadt, en Alemania. Siempre ha estado dispuesto a atender todas las consultas de los aficionados a las tortugas, y ese es el origen de este libro.

IMPRESO EN ESPAÑA PRINTED IN SPAIN
LIMPERGRAF, S. L. - Mogoda, 29-31 (Pol. Ind. Can Salvatella) - 08210 Barberà del Vallès